Ana María
Matute

El tiempo

Ediciones Destino
Colección
Destinolibro
Volumen 161

No se permite la reproducción total o parcial de este libro, ni su incorporación a un sistema informático, ni su transmisión en cualquier forma o por cualquier medio, sea éste electrónico, mecánico, por fotocopia, por grabación u otros métodos, sin el permiso previo y por escrito de los titulares del *copyright*.

© Ana María Matute, 1963
© Ediciones Destino, S.A.
Consell de Cent, 425. 08009 Barcelona
Primera edición: Editorial Mateu, Barcelona, 1963
Primera edición en Ediciones Destino: noviembre 1966
Primera edición en Destinolibro: diciembre 1981
Segunda edición en Destinolibro: noviembre 1991
Tercera edición en Destinolibro: marzo 1993
ISBN: 84-233-1157-0
Depósito legal: B. 8.256-1993
Impreso por Limpergraf, S.L.
Carrer del Riu, 17. Ripollet del Vallès (Barcelona)
Impreso en España - Printed in Spain

I

El tren aparecía, casi siempre de un modo inespe-
rado, por uno de los extremos de la ancha curva
que encerraba el pueblo. El tren pasaba alto, dando
un largo grito, y desaparecía de nuevo tras las rocas
agudas.

Las casas empezaban al borde mismo de la vía e
iban descendiendo, en suave declive, con estrechas calles pedregosas entre muros de cal. El pueblo, gigan-
tesca hoz de tierra, guardaba en lo hondo un mordisco
de mar y todo el mundo de Pedro. Más arriba, más allá
del tren, rozando el cielo, brotaban los oscuros olivares,
adonde él no iba nunca.

Los primeros recuerdos de Pedro venían como a
través de una nube de oro. Nacían de una mañana in-
vernal, en el puerto, en la neblina encendida por
el sol.

Él tendría apenas cinco años, entonces. Iba de la
mano de su madre. Le gustaba pasar muy al borde del
muelle, para ver las lanchas y las barcas pequeñas, donde a aquella hora se reunían los pescadores a almorzar
sobre cubierta. De la cercana taberna traían unos cuen-
cos de porcelana azul, colmados de una sopa espesa y
humeante. El aire estaba lleno de olor de aquella co-

mida, de sal, de alquitrán. Pedro avanzaba con un trotecillo menudo al lado de su madre, y agitaba en el aire la mano libre, sin saber por qué. Recordaba la panza blanca de las gaviotas que volaban sobre el agua, donde había grandes islas de colores violeta, verde y amarillo. Aquellas manchas, que cambiaban continuamente de color y de forma, le dejaban absorto y maravillado. En el agua negra, junto al casco de los buques más grandes, las manchas de color rubí brillaban como estrellas. Había un gran cielo sobre ellos, un gran cielo gris y blanco, donde flotaba un humo rojizo. Dentro de aquel humo, Pedro había visto una torre con un reloj que desgranaba lentas campanadas. Daba mucha alegría mirar al mar, algunas veces. Al mar, con cien colores. Que se iba hasta no se sabe dónde. A lo lejos, los buques grandes dormían como perros al sol.

La madre caminaba suavemente, sin que sus pies hicieran casi ruido. Era alta, delgada, vestida de azul, con un delantal a rayas blancas y negras. Tenía la piel morena, oscura, y los labios apretados y silenciosos. Dentro de los labios y de las manos, la madre tenía una sangre muy caliente, tan dulce, tan cercana, que, a veces, Pedro experimentaba una opresión en la garganta.

Aquella mañana iban a esperar la llegada del padre. Esto ocurría cada diez o quince días, porque el padre era fogonero de un barco de cabotaje. Pedro y la madre avanzaban con paso ligero, dejando atrás montones de sacos y cajones, hombres que liaban un cigarrillo, gatos que husmeaban en los desperdicios y el bronco borboteo de las lanchas motoras. La calma del mediodía sumía los muelles en un silencio apenas ho radado por lejanas voces y rumor de máquinas. Dentro de las barcas, los pescadores comían en círculo, descalzos. Un perro negro ladraba.

El balanceo lento, casi imperceptible, de aquella como ciudad acuática producía en Pedro una especie de ensueño. A veces, cuando dormía, creía atravesar paisajes como aquél, tenuemente balanceado, entre la suave neblina dorada y el vuelo de las gaviotas. Luego, cuando despertaba, sentía una extraña alegría, cortante, indecisa. Como aquella mañana.

El barco ya había arribado. Estaba quieto. Pero su sombra temblaba en el agua, tremenda, negra, humana. El padre estaba de espaldas, hablando con otros hombres. Pedro se desprendió de la mano y echó a correr hacia él.

No sabría explicárselo, pero sentía una íntima, profunda satisfacción por ser hijo de aquel hombre. Solía sentarse en sus rodillas, levantaba la cabeza para ver cerca su barbilla mal afeitada, olía su agrio olor y escuchaba su voz. Sabía bien todos los surcos de su cara, el movimiento de los músculos del cuello, el brillo de su mirada. Conocía las manchas de sus manos, las que se iban con agua y jabón y las que no podían borrarse. En la casa donde vivían, las paredes estaban cubiertas de cal, por dentro y por fuera, y la luz les arrancaba un blanco terrible, exasperado. Cuando el padre estaba dentro de la casa, todo parecía llenarse con su sombra, todo parecía de otro color. Los días en que el padre llegaba, muy temprano aún, la madre le despertaba, anunciándoselo. Las cortinas de la ventana se iban dorando vivamente. Pero saltaba de la cama y se quedaba un rato aún quieto, sentado al borde, con las piernas colgando y mirando a todas las cosas. Luego tenía viva necesidad de ir a contarlo a todos los de la calle. Salía y correteaba de un lado a otro, creyéndose que todos se alegraban también. La madre se asomaba al pequeño balcón pintado de verde y le reñía por andar con los pies descalzos. Cuando el padre venía a casa, todas las cosas eran mejores.

Aquella mañana el padre se volvió a él y le cogió en brazos. La madre se quedaba siempre un poco aparte, con las manos cruzadas, mirando. Inmediatamente se ponían a hablar de cosas. El hombre escuchaba, asentía, ladeaba la cabeza. Luego respondía, con sus palabras lentas, como si le costara un gran esfuerzo pronunciarlas.

Hablaban de la casa. Siempre hablaban de aquella casa que tenían y que a Pedro le parecía absolutamente natural de poseer. No comprendía por qué continuamente las palabras de sus padres estaban dando vueltas y vueltas en torno a aquellas cuatro paredes blancas, como abrazándolas.

Alguna vez, si el padre tenía buen humor, iban a comer a una cercana taberna. Había mesas de madera, con manteles a cuadros. Por las ventanas se veían el mar y las nubes. El sol ponía manchas amarillas en el suelo. A Pedro le gustaba el ruido del vino y el agua al ser vertidos. El sol taladraba el cristal de los vasos llenos. Pedro se sentía tranquilo, abandonado a una paz honda, viendo al padre y a la madre, al cielo, a los niños que pasaban y a los árboles que bordeaban el Paseo del Mar.

Aquel día hizo lo que todos los días. En la calle tiraba piedras, jugaba con el perro. Fue a la tienda, a comprar el pan, con el dinero dentro del puño: hizo todos aquellos encargos a que le enviaba su madre, se entretuvo en la esquina para contar los tapones de botella de cerveza, que guardaba en un hueco de la pared, tapado con una piedra. Pero en todo momento él sabía que el padre había llegado, que estaba en el pueblo. Por la noche entró en la casa y fue a la cocina. El padre estaba sentado junto al fogón, apaciblemente, y hablaba de dinero, como siempre. Pedro se sentó en el suelo, con la espalda apoyada en las piernas del hombre. La madre cubrió la mesa con el mantel y colocó los platos. Ahora era ella la que escuchaba al hombre. Sus labios apretados, su mirada rápida, brillante, revelaban su atención fija en las palabras del padre. Su cuerpo se movía, iluminándose a trechos por el resplandor del fuego. En los brazos morenos, que colocaban objetos, en la cintura, en el cuello, su sangre se sentía como anunciada por un rumor suave y constante.

Pedro se acostó pronto, porque cenando se dormía y se le caía la cabeza encima del mantel.

De madrugada, se despertó. Tenía sed, y se levantó de la cama para ir a beber agua. Pasó frente a la puerta tras la que dormían sus padres, y entonces tuvo deseo de verlos. Se acercó de puntillas y apartó suavemente la cortina. La ventana de la habitación estaba abierta, y una tenue claridad gris difuminaba los contornos de los cuerpos. Toda la habitación estaba como llena de una honda respiración como un pecho tras una larga carrera. Pedro sintió una alegría intensa, viva, como cuando el sol penetraba en el vino y lo encendía. Era una felicidad completa verlos juntos. Con la piel del padre, casi negra, junto a la de la madre. Silenciosamente, volvió a su cama, y sin saberlo de un modo concreto, sintiéndose fuerte por haber nacido de ellos.

Tras estos recuerdos aparecía brusco, violentamente nuevo, el primer día de escuela. Los primeros quince días le mantuvieron como en acecho. De pronto descubría que los niños y los hombres eran muy diferentes entre sí.

Los antiguos almacenes de madera habían sido convertidos en local de la escuela. En el techo, agujereado, había grandes toldos de lona y hule. Estaba cerca del puerto, y por las ventanas se divisaba el muelle, llegaba el grito de las sirenas, las campanadas y el humo. En el recinto, grande y destartalado, sobre unos bancos de madera, se alineaban unos sesenta niños, entre los siete y los doce años.

Un mundo simple y brutal le recibió. Algunos niños llevaban alpargatas sucias, otros botas, con cordones en zigzag. Estudiaban, gritaban, jugaban, se pegaban, comían tirando los papeles al suelo y orinaban contra la pared. Los niños eran a un tiempo buenos y malos, tristes y alegres, pobres y ricos. Trataban a los maestros con crueldad, semejante a la que recibían de ellos, y, por Pascua, les componían largas felicitaciones con lápices de colores, aunque al día siguiente escribieran en la pared: "Los maestros son burros". Todo era natural y vulgar allí. No podía sorprender casi nada.

Pedro cayó en el río de aquella vida, y su corriente le arrastraba, sin que al parecer pudiera surgir nada capaz de detenerle. Allí, uno se olvidaba de cosas y aprendía otras, con una rapidez angustiosa, excesiva. Nacían y morían cosas dentro de él, de un modo irremisible, sin tiempo para apercibirse. Los niños tiraban al maestro bolitas de papel mascado y recibían su castigo con la cabeza gacha y los hombros levantados. Los mismos que animaban a burlarse del maestro reían después la reprimenda del compañero que había dado la cara. Se traicionaban y se ayudaban hasta el heroísmo.

Una vez, un chico llamado Quim soportó veinte azotes por no delatar al que ató un petardo a la silla del maestro, y poco después robaba la merienda de su defendido. Un día eran amigos, y al día siguiente, por un lápiz rojo o una lección mal aprendida, se volvían rivales furiosos. Pedro sintió cerca la inmensa incomprensión del hombre, la soledad del hombre, la complicada trabazón de la sociedad. Era como si todos se debatiesen dentro de una gran campana de cristal, codo a codo. Faltaba oxígeno. Por eso, a veces, se sentía tan próximo y unido a todos ellos, y otras, en cambio, le inundaba la sensación de lejanía, y parecía como si le brotaran unas absurdas alas que le llevaban aparte, mucho más allá de los amigos y los rivales, del suelo y del cielo.

En ocasiones, les entraba a los muchachos un deseo incontenible de martirizar al maestro. Sin palabras, se ponían de acuerdo. Empezaban a silbar los del último banco, y cuando el maestro, irritado, llegaba hasta ellos, se callaban. Entonces los de las primeras filas continuaban, y la comedia se repetía hasta que le veían correr de unos a otros como un imbécil.

Había una gran pizarra al fondo, y un mapa de Europa lleno de manchas y roído por las ratas. De cuando en cuando, el maestro pasaba lista. Había niños constantes y puntuales, y niños que a lo mejor no aparecían durante un mes. Estos últimos eran por lo general hijos de pescadores, que solían salir a la mar en la lancha del padre.

Los primeros tiempos, por culpa de algún objeto demasiado querido, por distracciones, por timidez, Pedro recibió algún puñetazo. Aprendió a pegar a su vez, y a recibir golpes con los dientes apretados. De este modo acabó teniendo amigos; esos amigos vagamente enemigos, que sólo se tienen a los siete años. Se hizo más fuerte. Como si otro Pedro se pusiera en pie dentro de él. Las voces y las burlas ya no le afectaban como en un principio. Comprendió el vocabulario breve y contundente de los chicos, se le hicieron las manos y la voz más duras. ¡Ah!, si no hubiera sido por culpa de aquellas alas que inesperadamente le remontaban del suelo y le apartaban de todo, Pedro hubiera continuado siendo un niño feliz. Pedro, sin saber cómo, se quedaba de pronto tan lejos, tan indiferente.

Con dos de aquellos muchachos entabló una relación más estrecha que con los demás. Se llamaban Ramón y Quim. Ramón era hijo de un zapatero remendón, y Quim no tenía padres. Entre ellos dos, Pedro aprendió el valor de los objetos y del dinero. A veces maravillábase de que a cambio de unas monedas pudieran entregarle un libro o una pelota.

Ramón era menudo, con los brazos muy largos y la cara llena de pecas. Hablaba ceceando, con aire bobote, y siempre estaba dispuesto a la admiración y a la risa. A veces Pedro iba a casa de Ramón. El padre de éste, viejo ya, se pasaba el día claveteando en su portalillo de zapatero. Vivía en una de las calles más estrechas y empinadas, que venía a desembocar al Paseo del Mar. La madre de Ramón tenía muy mala fama en el pueblo. Casi siempre estaba borracha. A veces pegaba al chico con la zapatilla, y frecuentemente se marchaba de casa y volvía tardísimo. Pedro había presenciado las disputas entre el padre y la madre de Ramón. Cuando estaba borracho, el viejo la golpeaba y la arrastraba por el suelo. Pedro preguntó a Ramón por qué sus padres parecían odiarse tanto.

—Es que el padre está muy viejo — repuso el chico—. Y ella, no.

—Pues ¿por qué no se va de una vez y no vuelve?

—¡Ah!, pues porque aquí come — dijo Ramón.

Quim respiraba otro clima. Vivía con su tío, dueño de un merendero de la playa. En el verano, cuando llegaban forasteros, el chiringuito se llenaba de gente, de cervezas y de bocadillos. En el invierno resultaba más taberna que otra cosa, y en él se reunían los patronos de las barcas, los marineros y los pescadores. Estaba entonces lleno de humo, y frotando el vaho que empañaba los cristales se veía el mar, cercano y negro, el oscuro cielo de la noche y las luces amarillas de los barcos que pasaban.

Quim tenía ya once años. Su tío le pegaba, porque Quim era un ladrón incurable. Pedro acabó comprendiendo que aquello no tenía remedio, que su amigo Quim sería siempre ladrón, porque había nacido ladrón, del mismo modo que se nace con el pelo rubio o negro.

Quim era alto, robusto, con ojos vagamente tristes. Casi nunca faltaba a la escuela, exceptuando las veces en que su tío no quería o no podía pagar la mensualidad. Entonces Quim rateaba por el muelle y ayudaba a su tío en el trabajo del chiringuito.

Un día el padre de Ramón se puso enfermo. Le había ido a ver el cura de la parroquia, y le dejó sobre là mesilla unas medicinas y cincuenta pesetas. La madre canturreaba sentada a la puerta. Pedro fue a ver a su amigo. Le encontró al lado del viejo zapatero. Estaba sentado junto a su cabecera, y a veces se levantaba y con su pañuelo, arrugado y sucio, le limpiaba el sudor de la frente. Los lacios bigotes del viejo caían, húmedos y pegajosos, sobre los labios, y parecía mirar continuamente algún punto de la pared. Estando allí los dos, quietos y silenciosos, llegó Quim. Traía un paquete con comida que había robado del merendero. Se sentaron en el suelo y se repartieron la inesperada merienda. El enfermo no parecía enterarse de nada. Se oía su fatigada respiración, y, de vez en cuando, Ramón se levantaba para enjugarle el sudor. Después, se sentaba de nuevo, y devoraba simplonamente.

Pocos días más tarde el zapatero murió. Ramón no volvió por la escuela, y poco a poco fue olvidado por

Pedro y por Quim. Alguna vez le veían, con un largo blusón y un cesto lleno de comestibles sobre el hombro, porque estaba empleado en la tienda de la Cooperativa.

Todos estos menudos hechos iban estancándose en el corazón de Pedro, que empezó a dar un valor concreto a cuantas cosas recibía del padre y de la madre. Sus zapatos, su comida, sus cuadernos y sus libros de la escuela. También aquel sobre de papel azul donde llevaba él mismo la mensualidad al director. Todo aquello, comprendió, estaba conseguido por las ausencias del padre, por las manchas de sus manos; por aquella mirada preocupada, pensativa, de la madre. Ahora escuchaba conversaciones de los dos en la cocina. Aquel contar el dinero y aquel hablar siempre de la casa. Se dio cuenta de que él no faltaba nunca a la escuela: como los hijos de los pilotos, de los dueños del almacén, del juez y del jefe de Correos.

Un día el párroco de San Pedro buscó a todos los niños de su edad para prepararlos a la Primera Comunión. A la salida de la escuela los reunió en la Catequesis. Antes de esto, algún domingo, Pedro había ido a la iglesia con su madre. Ella se ponía un velo sobre la cabeza y se arrodillaban muy quietos los dos, mirando, mirando y pensando cosas. Hasta que el cura se volvía y les decía con un gesto, lento y suave, que volvieran a sus casas. La madre se ponía en pie, buscaba su mano y retornaban a sus quehaceres. La iglesia era de piedra gris, fría y hermosa. Tenía altas ventanas, tras las cuales, en abril, se oía gritar a las golondrinas y gaviotas. En algún momento el niño ha-

bía sentido un vago temor allí dentro. San Pedro era
alto, con rizadas barbas, y se parecía bastante a To-
más, el patrón de "La Gaviota". Alguna vez, cuando
había temporal, se oía a las olas chocar contra los
muros.

El párroco, que era joven y simpático, los reunía
en la sacristía. Pedro se sentó tímidamente y escuchó,
lleno de curiosidad. El párroco les habló de Jesucristo.
Oyéndole, Pedro experimentó una rara desazón. Acudió al día siguiente, y todos los demás, con una extraña
impaciencia en el pecho. Porque quería oír hablar de
aquel Hombre, necesitaba de un modo vivo oír hablar
de Él. Al fin, el sacerdote repartió entre ellos unas es-
tampas con el Hombre clavado y lleno de sangre. Pedro le contempló, reflexivamente. Un vago presenti-
miento le llenó de melancolía. La muerte le dejaba absorto. Pedro había oído hablar de muertos, de hombres que no volvían del mar. Pero eso siempre parecía
un poco mentira, una cosa que no se sabe del todo si
puede ser verdad, y parecía que de un momento a otro
aquellos hombres iban a aparecer en las puertas de sus
casas, tras las esquinas de las calles, en la misma mesa
que ocupaban en el chiringuito. En cierta ocasión había oído discutir al patrón de una barca con un marinero. El marinero pedía algo, algo que él no recordaba,
y decía: "Pero eso, para siempre. Lo quiero para siempre". El patrón, un hombre gordo, con una colilla de
puro en la boca, escupió al suelo y dijo: "¡Siempre!
«Siempre» es una palabra idiota". Aquella escena,
aquellas palabras, venían a él ahora de un modo candente. De pronto, pensó en cuando él muriese, en

cuando fuese un montón de carne muerta. ¿Y entonces? Cristo iba más allá de los hombres, y sin embargo, muerto, estaba cerca de los hombres. "«Siempre» es una palabra idiota…" Sin embargo, el Hombre muerto hablaba de eternidad. Era aún muy niño para alcanzar el sentido de esta palabra, que flotaba confusamente en sus pensamientos. Guardó la estampa con amor, con un dulce deseo en su alma. La clavó en la pared, junto a su cama, y la miraba, la miraba mucho. "«Siempre» es una palabra idiota." Pero se lo llevaba a uno, le arrastraba a uno, por encima de la palabra "muerte", por encima de la palabra "nunca".

Ya tenía once años cuando la muerte llegó. Y fue su padre uno de aquellos hombres que no volvían. Pedro sintió a la muerte nueva, atrozmente nueva, como si su padre fuera el primer muerto sobre la tierra.

Le trajeron a casa con el cuerpo mutilado — explotó la caldera del barco —, y estaba allí, tendido, con las manos cruzadas y atadas, vestido con su mejor ropa por la propia madre, rodeado de todos los vecinos. Y Pedro sentía su ausencia desgarradoramente.

Al principio no pudo llorar. Su madre le apretó contra sí, y los dos sintieron frío. Pedro se notó atraído hacia el cuerpo de ella, apretado de tal modo en sus brazos, que parecía le quisiera tornar de nuevo a su sangre. A aquella sangre que se le adivinaba a través de la piel, en la mirada, en los cerrados labios.

Era verano y, como hacía un calor asfixiante, estaban abiertas las ventanas, sólo veladas por fragmentos de red vieja. Los insectos zumbaban tórridamente.

Pedro tenía el pecho agarrotado, y bajó la escalera con un extraño deseo de salir al aire, de salir de algo que le atenazaba y oprimía. Descendió lentamente por la empinada calle, a cuyo confín se veía un trozo de mar, intensamente azul. La luz del mar lamía las paredes de cal. Al llegar al extremo de la calle se detuvo sobre unos escalones de piedra que conducían a la playa. Una extenuación súbita le paraba allí. Se reclinó contra la esquina de la última casa, y, blandamente, su cabeza se apoyó en el muro. Notó en la mejilla el ardoroso contacto de la cal, reverberando al sol. En cambio, sus manos parecían heladas. Las sombras intensas y cuadradas del suelo, el silencio todo de la primera tarde, le entraban poco a poco por ojos y aliento. Tenía el corazón como ajeno, diferente.

Entonces oyó voces y se estremeció. Miró hacia la playa y vio a Quim y a un grupo de muchachos de la escuela, que venían gritando, tirándose un objeto duro unos a otros, riéndose, con una áspera y bárbara alegría. Al mismo tiempo, como una estrella que cae, atravesó el cielo un largo, un frío y punzante grito. El tren pasaba velozmente por sobre sus cabezas.

Pedro se apartó del muro, y unas lágrimas crueles, dolorosas, le brotaron como fuego. Las tapó con el revés de la mano, las secó con una honda desesperación. Se supo solo, tremendamente solo, sin un amigo. Entonces volvió lentamente hacia su casa, calle arriba. Sabiéndose precozmente endurecido, hombre.

II

Pedro abandonó la escuela apenas dos años después. Poco a poco había ido apartándose de los muchachos, volviéndose retraído, silencioso. Con más frecuencia aún que antes, aquellas alas le brotaban y le transportaban lejos.

Su madre, ahora, trabajaba por las mañanas en la fábrica de conservas. Como él era uno de los alumnos más inteligentes y despiertos, el director de la Escuela se interesó por él y le procuró un pequeño empleo en las oficinas de Consigna del puerto. Los primeros meses, casi se le utilizaba como mozo, e incluso barría el suelo de la oficina. Luego pasó a ayudante de despacho, por conocer las cuatro reglas y escribir con bastante corrección. Tenía una pequeña mesa de madera, casi contigua a la del escribiente, con un tintero y una pluma que rasgaba el papel. El escribiente era un hombre viejo y poco amigo de palabras, por lo que Pedro podía abstraerse, recogerse, sin que nada le turbara. Una gran soledad llenaba su corazón, pero esa soledad le era necesaria. Alguna tarde, saliendo de la oficina, el escribiente y él iban al chiringuito del tío de Quim y tomaban un café caliente. Se sentaban juntos y no hablaban. Luego, cada uno pagaba sus seis reales y se despedían fría y respetuosamente, hasta el otro día. En estas ocasiones Pedro veía a su antiguo amigo Quim, que fregaba los vasos en la pila del mos-

trador y pasaba un paño húmedo por la superficie de
cinc. Tenía la cara llena de granos y se ponía un cigarrillo—cuando alguien se lo daba—detrás de la
oreja. Seguía robando, haciendo trampas con el dinero, y su tío gritaba asegurando que acabaría matándole
o arrojándole de su casa. Quim apenas si hablaba con
Pedro, porque, a aquella edad, los dos o tres años de
ventaja de Quim suponían una barrera infranqueable,
un mundo totalmente distinto.

También Ramón era ya dependiente en la tienda
de la Cooperativa. Su antigua simpleza había derivado
en una enorme fanfarronería, pues creció mucho y se
creía buen tipo. Los domingos iba con alguna chica,
al cine o a bailar. Todos los demás muchachos eran
parecidos y hacían cosas parecidas. Trabajaban en los
astilleros, en la tienda, en el puerto... Otros, hijos de
pescadores y marineros, continuaban el mismo oficio
de sus padres, y pasaban el día en el mar. Y los que
eran hijos de juez, piloto o jefe de Correos habían ya
desaparecido del pueblo, para ir a estudiar a la ciudad.

En ninguno de ellos buscó Pedro ningún amigo,
como si de antemano supiera que no había de hallarlo.
Entregaba su sueldo a su madre. Cuando llegaba a su
casa, la veía triste, con una imborrable tristeza en los
ojos, prematuramente envejecida, y vestida de negro.
Como siempre, ella cubría la mesa con el mantel, co-
locaba los vasos y los platos, cosía junto a la cocina. El
resplandor del fuego acariciaba dulcemente su cuerpo
delgado, y Pedro sentía un vago deseo de abrazarla.
Pero su madre era seria, poco afectiva, y su misma tristeza parecía alejar al muchacho, intimidarle. Como si

le pareciese que iba a profanar aquel mudo sufrimiento arrancándole una sonrisa. Este extraño pudor le mantenía, pues, silencioso, casi frío con su madre. A pesar de que un gran cariño le llevaba a ella, a veces con gran fuerza.

Aquellas antiguas conversaciones sobre el dinero, las tenía ahora la madre con él. Si bien ya no había en ellas aquella roja y viva vena de esperanza que tuvieran con el padre. Por el contrario, eran deprimentes. Y cercaban a veces, laceraban, como tenazas de hierro. Pedro se dio cuenta de que vivir cuesta mucho, de que vivir tal vez es un castigo. Iba apretando cosas en su corazón; tenía el corazón tan lleno de cosas, que, a veces, temía sentirlo estallar. Cosas reprimidas, sofocadas, muertas a veces. En ocasiones había como un llanto dentro de su pecho, un llanto que jamás tomó forma en sus ojos, e iba chocando, como una mariposa ciega, en las paredes de su alma. Deseaba violentamente liberarse de tantas ligaduras como le sujetaban. Se sabía preso de cosas irremediables, vulgares cosas irremediables, que no tenía derecho ni fuerza para cortar. Y sabía que, a medida que fuera haciéndose hombre, estas cadenas más y más le apresarían, y más y más iba a serle imposible romperlas. La ventana del despacho, en la oficina del puerto, daba al mar. Al registrar la entrada y salida de los barcos, al oír la campana, algo le mordía como un perro furioso. También el grito del tren le llenaba de zozobra, estremeciéndole. Pero a todas estas llamadas Pedro cerraba los ojos y procuraba aislar su corazón, encerrarlo en una zona gris y helada, alejarlo de todo. Volvía a su casa y miraba a su madre. La miraba con intensidad, y la veía endurecida por el trabajo, agostada. En sus labios cerrados había también como un grito preso, un largo gemido vencido, amoratándose. El silencio de la madre, las oscuras sombras de sus ojos, hablaban al muchacho con un lenguaje desgarrador, que en vano hubiera deseado eludir. Pensó entonces que el hombre no está únicamente solo, sino, además, cargado de responsabilidades. Y también de fuerza. Lleno de una absurda fuerza que le empujaba a través del tiempo, de generación en generación. Siempre. Siempre.

Pedro se sorprendía pensando casi continuamente en el dinero. Ahora era él, y no el padre, quien hablaba de dinero. Pensaba en cuánto un hombre debe sacrificarse, enterrar, para tener dinero. Se desalentaba a veces, imaginando que toda la vida habría de ir creciendo en trabajo y en responsabilidad, sólo para poder comer, cubrir su cuerpo y dormir bajo techo. De este modo la vida no parecía tener sentido alguno, se decía con amargura. Una temprana y maligna desesperanza le invadía, la angustia alcanzaba su alma. Solitario, pensativo, algún atardecer, en el verano, cuando aún había una dorada luz en la lejanía, antes de ir a cenar, se iba bordeando el puerto y salía a la playa. Sentado en la arena contemplaba la ancha curva de la bahía. El mar iba enrojeciendo por momentos, y todo el pueblo se reflejaba en él. Pedro veía las manchas claras de las casas, los puntos negros de las ventanas. Y sabía a todos los hombres, como gusanos tenaces, levantándose, trabajando, comiendo y acostándose. Un viento negro sacudía entonces su alma, y

volvía a su casa. Alguna vez se morían gentes conoci-
das. La abuela del piloto Pancho. Un hombre. Una
mujer. Un muchacho. Las vecinas, entonces, se apiñaban en la casa. Algún niño miraba a través de la
ventana, lleno de curiosidad. Llegaba el párroco de
San Pedro y llevaban el cadáver al cementerio, que
estaba detrás del barrio de pescadores. Lo metían en
la tierra. Le echaban encima más tierra. Más tierra. Lo
apisonaban bien. Si era verano, un gran cielo caía bajo,
derretido. Si era invierno, los árboles parecían esqueletos negros, fríos, contemplando con una gran indiferencia los hombres vivos y el muerto. Alguien en-
derezaba una cruz. Después todos volvían al pueblo.
Y continuaban acostándose, trabajando, comiendo, trabajando y acostándose. Así, un día y otro día.

Y una tarde, siendo invierno, llegó al pueblo una
niña.

III

La niña era sobrina de las dos viejas encargadas
de Telégrafos. Vivían éstas en una pequeña casa, junto al Paseo del Mar. Era una casita con una puerta y
una ventana, de madera, pintada de azul, y cristales.
Tras la ventana, que hacía las veces de escaparate, se
exhibían postales con vistas del pueblo, cajitas hechas
de conchas, pañuelos, jarros de barro esmaltado de
verde y un sinfín de menudos y polvorientos objetos
de difícil aplicación.

Estas dos mujeres se llamaban Martina y Felisa, y en el pueblo no se las quería mucho, por ser maldicientes y avaras. Tenían un gran brasero de cobre junto al que se sentaban, con las manos en los sobacos, bajo sus amplias y sucias toquillas, o tejiendo con largas agujas de acero interminables prendas de lana. Murmuraban, bostezaban y, a veces, sacaban una de las largas agujas y se rascaban la cabeza. Las acompañaba casi siempre un gato gordo, negro, egoísta y desapacible como ellas. Colocaban brasero y sillas junto a la centralilla, metían y sacaban clavillas, daban a la manivela y se peleaban entre sí o, a través del hilo, con la telefonista de la central.

Habían sido, en realidad, tres hermanas. Pero en el pueblo se decía que la hermana pequeña se escapó en compañía de un actor que formaba parte de una compañía llegada al pueblo por la feria. Decían que, en la ciudad, la muchacha se había dedicado al teatro. Martina y Felisa, sin embargo, no volvieron a hablar jamás de esta hermana, como si no hubiera nacido.

Cuando apareció en el pueblo la pequeña Paulina —Martina la trajo una tarde, tras un misterioso viaje a la ciudad—, todo el mundo supo que la hermana menor había muerto en el hospital, dejando una niña totalmente desamparada.

La primera vez que vio Pedro a Paulina fue una tarde de enero, a la hora en que salían los niños de la escuela. Del pabellón de las niñas los grupos iban saliendo más pacíficamente, deteniéndose, reuniéndose, a veces, con las cabezas juntas, para mirar un cromo o una cajita. Pedro no se había fijado hasta entonces en ninguna niña. Le parecían extraños seres absurdos, embusteras, llenas de risitas estúpidas y de secretos. Pero aquella niña, Paulina, era muy diferente. A primera vista podía adivinar la hostilidad con que había sido acogida. Iba sola, la única que salía sola de la escuela. Las demás se volvían a mirarla con descarada impertinencia, y un visible deseo de mortificarla, con sus risas veladas y sus cuchicheos. Paulina, solitaria, se dirigió al Paseo del Mar.

Una dulce y dorada neblina flotaba entre los troncos de los árboles, acariciados por el viento y la luz del mar. La tierra del suelo era de un tono encendido, y las ramas desnudas, como finísimas agujas negras, se recortaban en el cielo gris y rojo. Al fondo, el agua aparecía lisa y brillante, como una superficie mineral. Entre los grupitos de las niñas llegaron hasta Pedro palabras crueles y agudas: "Está enferma." "Dicen las de Telégrafos que no sirve para nada." "Su madre era una mujer muy mala." Y, luego, algo que se grabó afiladamente en su corazón: "Se morirá muy pronto."

Pedro, sin saber a ciencia cierta lo que hacía, ni por qué lo hacía, siguió los pasos de la niña. Algo sutil, mágico, le guiaba suavemente tras ella, sin que apenas él mismo lo notase. En realidad, en aquel momento no sabía lo que estaba haciendo, pero sus pies siguieron los pasos leves de Paulina. Aquella frase "Se morirá muy pronto" le atraía de un modo extraño, le empujaba tras aquella criatura. La niña avanzaba frente a él, y Pedro contemplaba su espalda, sus largas piernas, sus trenzas. Tendría unos doce años. Estaba enferma, decían. El caso es que era tan delgada, casi irreal, frágil como un tallo. Andaba de un modo breve y rápido, entre los troncos y la niebla. Pedro sintió como un tierno dolor clavándosele en el pecho. Había en ella una gravedad prematura. Vestía un abrigo a cuadros, que le iba un poco corto, y sus trenzas, sobre la espalda, eran de un tono rojo, encendido, brillante. Parecía como muda, sin sonrisa. Con sus ademanes lentos y orgullosos, avanzaba paso a paso, cuando parecía que iba a caerse o partirse en dos. Pedro, súbitamente, pensó: "No va a resistir el invierno." La veía como apartándose de todo, avanzando sola, acercándose al mar. Había encontrado en alguna parte un jirón de piel marrón, y con él se envolvía las manos, como en un manguito. Un orgullo infinito la apartaba de los grupos, de los insidiosos cuchicheos de las otras niñas. Parecía que las burlas y las palabras malignas jamás podrían ascender a sus oídos. Pedro se fijó entonces en sus pies, embutidos en unas botas largas, con muchos botones. Debían irle pequeñas, porque sus pasos se hacían forzadamente breves. Aquellos pequeños pies aprisionados conmovieron a Pedro. Nunca había sentido una sensación parecida, agridulce, que ni siquiera se atrevía a confesarse. "¿Qué querrá Paulina?", se preguntó, puerilmente. ¿Dónde habría visto Paulina retratos de antiguas damas que pasean lentamente con manguito, la cabeza erguida y sin sonrisa?

Al llegar frente a Telégrafos, la niña entró dentro. Pedro vio cerrarse la puerta tras sus cabellos rojos, y el último sol de la tarde se inflamó, confundido en un mismo tono de fuego, sobre la cabeza y el cristal, al cerrarse.

Pedro volvió despacio hacia la playa y entró en el chiringuito. Quim estaba inclinado sobre el mostrador, apuntando algo. Pedro bebió una taza de café, muy caliente. Miró al mar, a través de los cristales. El terrible mar, cercano y lejano, como una ancha y cruel sonrisa. De pronto distinguió la alargada silueta de un buque que se alejaba. Volvió a pensar en la niña, en sus pies oprimidos. Después pagó y salió de allí. En toda la noche, ni al otro día, hasta la hora en que salió de la oficina, volvió a pensar en ella.

A la tarde siguiente, cuando parecía haberla olvidado, la vio de nuevo, y volvió a seguir sus pasos hasta que la puerta de cristales se cerró tras ella. Así iba sucediendo un día tras otro, y él lo olvidaba. Hasta el día siguiente.

Pero una tarde no la vio. Entonces estuvo pensando en ella, con rara desazón. Durante varios días, Paulina no apareció por la escuela. Al fin oyó que estaba enferma, que era una niña delicada y una carga para las dos viejas hermanas de Telégrafos.

A medida que pasaban los días, Pedro pensaba más en Paulina. Al darse cuenta de ello experimentó una vaga inquietud, una extraña sensación de molestia. La recordaba cruzando el Paseo del Mar. Siempre solitaria y distante. Con la cabeza levantada, su largo cuello un poco echado hacia atrás, parecía elevarse sobre el ruido del mar, las risas estúpidas de las niñas y las voces de los hombres. Con sus pequeños pies oprimidos, entre empujones, intentaba hacer flotar su dignidad extraña e inútil.

Al fin, una tarde, la vio. Estaba sola, bordeando el Paseo, junto al agua. Estaba muy pálida. Pedro sintió algo extraño dentro, como si quisiera detener su propio corazón, echarlo hacia atrás, replegarlo. Se encontraba cerca, casi la tenía al lado. Ahora veía su perfil blanco, la nariz breve y fina de la niña, la sombra de sus pestañas. Se inclinaba, mirando hacia el agua. Las mangas del abrigo le venían cortas, y Pedro se fijó en sus muñecas, blancas, finas. Las manos quedaban ocultas en aquel extraño manguito, que daba un poco de pena y un poco de risa. Pedro adivinó allí dentro el tibio calor de las pequeñas manos, los dedos entrelazados. Quizá las ocultaba porque en ellas estaba todo su miedo de niña solitaria.

Sin que se dieran cuenta se levantó un viento frío y brusco, que le arrebató el manguito de las manos volteándolo hasta el mar. La niña entreabrió levemente los labios. Algo dio un tirón dentro de Pedro. Pensó que las manos de la niña no podían quedarse así, desnudas. Sus pobres manos desamparadas. Así lo parecían decir los ojos fijos de Paulina, la desolación infinita de sus labios.

Allí, bajo sus pies, estaba amarrada una barca, balanceándose. Pedro saltó a ella, y sacando medio cuerpo fuera, alargó el brazo y rescató aquel jirón de piel. Cuando lo tuvo en la mano le invadió una oleada de vergüenza y miró tímidamente hacia la niña. Pero no a su figura real, sino a aquella que se reflejaba, borrosa y movediza, apenas una mancha de color, en el agua. Levantó los ojos y la miró al fin, de frente. Paulina estaba quieta, mirándole. Vio su carita fría y blanca. Los cabellos, muy tirantes por las trenzas, dejaban escapar, junto a las sienes, pequeños rizos rojos. El manguito estaba empapado y mustio, como una cría de perro a medio ahogar. Pedro no dijo nada. La niña cogió la piel y la extendió al sol para que se secara. Pedro saltó de nuevo a su lado, mirándola ahora sin timidez. Tenía movimientos nerviosos y leves, como alas de mariposa. Sus ojos eran de color de trigo, alargados, finos. Su boca, apretada, era una rayita casi blanca. El sol jugaba densamente con su cabello rojo, en luz lenta y complacida. Los movimientos de su cabeza eran acariciados por aquel fuego amoroso, ardiente. Pedro miraba los rizos que escapaban rebeldemente a la tirantez del peinado. Una de las trenzas caía, desde la cabeza inclinada de la niña, y Pedro sintió deseos de acariciar su brillo suave, de sentir en la yema de los dedos el contacto de aquella trenza, que le parecía debía abrasar como una llama.

De pronto, unas voces bruscas, desapacibles, le sobresaltaron. La vieja Martina había aparecido tras la puerta de cristales, y se acercaba a ellos agitando una mano en el aire. Paulina se estremeció levemente. Por un momento fijó los ojos en Pedro, y el muchacho sintió la punzada de las dos niñas negras, fijas. Las pupilas, de color de miel transparente, tenían un miedo frío, un miedo de vacío, que le impresionó. Martina cogió por un brazo a la niña, zarandeándola y gritando. La llamaba holgazana y soberbia. Una mujer vecina, la mujer del cartero, se acercó y empezó a reírse.

Martina empujó a la niña hacia la casa, de malos modos, y habló a la mujer del cartero. Le dijo que tener a la niña era una carga pesada, insoportable. Que ellas tenían que cargar con los pecados ajenos.

—¡Desgraciadamente, tiene a quién parecerse! —decía.

Y empezó a contar cosas de la niña, cosas que Pedro supuso estaban dolorosamente guardadas en los ojos y en el corazón de Paulina, y nadie tenía derecho a revelar, a manchar. Sintió una ardiente indignación contra Martina, oyendo cómo explicaba a la mujer del cartero que Paulina subía al desván y se encerraba en él para danzar a solas. Ella la había visto por las rendijas de la puerta.

—La muy tonta —explicaba, con su voz dura, rompiente—. Anda por ahí martirizada por esas botas, por no querer ponerse alpargatas, como le he mandado. Y luego, baila con los pies descalzos, cuando cree que no la ve nadie. ¡Todo el día lo pasa escondiéndose, escapándose! ¡Para holgazanear! No hay quien la haga trabajar en nada. No es fuerte, y en lo poco que sirve, tampoco quiere cumplir. Su único trabajo es lavarse un pañuelo que se trajo entre los harapos que le dejó su madre. Lo lava y lo cuelga todas las noches en su ventana, como si creyera que Felisa o yo fuéramos a robárselo. ¡Será estúpida! Así, se creerá que se puede vivir. Claro, es muy cómodo que carguen con nosotros, nos mantengan y viva la alegría. ¡Ya le haré yo aprender lo que es la vida! ¿Para qué se creerá que ha nacido?

Pedro apretó los dientes. Una escondida rabia le

cegaba. Había nacido Paulina para que él la viese, para que un muchacho triste y solitario pudiera verla reflejada en el agua temblorosa, con sus pasos dignos. Y, así, para que la creyera bella y distante. Con su absurdo manguito de piel y su silencio. Paulina, grave y seria: no triste. Pedro experimetó una honda amargura. Cuando Paulina creciese, se dijo, se haría dura. Pero ahora, ¡era tan tierna aún su dureza! Sería áspera con el tiempo, avinagrada, rencorosa. Pero ahora, niña como en eterna ofensa, no del todo comprendida por él, andaba sobre el suelo como una reina de juguete. Paulina había entrado en la puerta azul, sin apresurarse. Su barbilla temblaba levemente. Pero no decía nada. Entró en la casa y los cristales se cerraron tras ella.

Martina dio una patada al manguito y lo lanzó al agua de nuevo.

—¡Ya te enseñaré yo lo que cuesta vivir! — chilló, aún. Se volvió luego hacia la mujer del cartero y, en voz confidencial, añadió—: Ya no podemos más. No vale para nada. Está muy mal acostumbrada, con la cabeza llena de pájaros, por culpa de aquella desgraciada. Vamos a mandarla interna a la Escuela de la Mujer. Que aprenda a coser, que aprenda un oficio para defenderse. Allí la espabilarán porque es gratuito, y andan derechas como husos.

Lentamente, Pedro se volvió de espaldas, alejándose de aquel lugar. Se internó en el barrio de pescadores y salió afuera, hasta llegar al cementerio. Apoyó la cara en la verja, sintiendo su frío en la mejilla. Pensaba de nuevo en Paulina.

De pronto, mirando la tierra que escondía a su pa-

dre, a tantos hombres, se dijo que daba lo mismo que
Paulina muriera o que se fuera del pueblo para siempre. Porque si Paulina regresaba un día de la Escuela
de la Mujer, o de la ciudad, sería un mujer. Distinta.
Y la niña, ¿dónde andaría?... Cerró los ojos. Si Paulina se quedaba en el pueblo, también el tiempo iba
a endurecer sus pasos y nadie podría salvar del agua
sus bobos adornos de niña que tiene la cabeza llena
de pájaros. Los pies no podrían soportar más, un día,
la opresión de las botas. Los ojos alargados, de color
de trigo, no mirarían con la transparencia de ahora.
Como si fueran de cristal redondo, vaciado, frío y
bello.

Pedro se apartó de allí, de las cruces de hierro y de
los hombres que ya no querían decir nada. Nada más
que polvo, tierra y larvas. Para volver a empezar, y
volver a empezar.

Aquella noche pasó frente a la casita de Telégrafos. Arriba de todo, en la pequeña ventana de bajo el
tejado, colgado de una cuerda, había un cuadrado blanco, como una llamada.

IV

Empezaba la primavera, y un domingo que había
feria en el pueblo, Pedro volvió a ver a Paulina. Junto
a Martina y Felisa, la niña se dirigía a la parroquia de
San Pedro. Pedro sintió una alegría pequeña y aguda.
"No se ha ido", pensó.

Entró en la iglesia, tras ellas. Ya dentro, como todo era oscuro, deslumbrado, se quedó un tanto confuso. Sin embargo, sintió en la piel la mirada de la niña. Volvió los ojos y en la penumbra vio brillar las pupilas absortas. Nunca había visto unas pupilas quietas, como las de Paulina. En la oscuridad, sólo relucían sus ojos, dos pequeñas esferas de cristal hueco, ambarino. Pedro pensó que le gustaban aquellos ojos, aquella fijeza casi inhumana. Ajena. Como si no pensara, o pensase siempre en cosas muy escondidas y distantes a todo el mundo. Que la dejaban vacía por dentro, lejana. Como a él mismo.

A la salida de la iglesia, Pedro esperó a que ellas le adelantasen. Luego, despacio, se dirigió a Telégrafos. Empujó la puerta, sonó la campanilla, y entró. Martina y Felisa estaban en las habitaciones interiores, quitándose los velos llenos de agujas negras, discutiendo. La niña estaba sentada junto a la centralilla.

Se había quitado el abrigo, y llevaba un vestido de pana marrón, algo rozado. Le quedaba el corpiño estrecho y la cintura alta, lo que daba a su talle una gracia extraña. Por las mangas cortas, los brazos aparecían blancos y finos, con una tierna transparencia, entre rosa y dorada. Estaba con la cabeza inclinada, y tenía sobre la falda un montoncito de cromos, que examinaba. Pedro contempló el suave descender de las trenzas rojas, que caían hasta más abajo de la cintura. La cabeza quedaba dividida por la raya del peinado, y parecía ésta un caminillo blanco y sonrosado, como tirado con una regla, hasta la frente.

Pedro se aproximó a la niña y percibió su aroma.

Era un olor limpio, un olor tierno y cálido a piel, algo parecido al de los panes de azúcar recién hechos. Aquellas lejanas golosinas que, siendo aún muy niño, hacía su madre los días de fiesta. Todo esto le conmovió de una forma inexplicable. Era algo así como un deseo de retroceder al tiempo leve y enajenado de los primeros años, a su dulce transcurrir, a su ignorancia de cosas.

—Quiero una postal con vistas del pueblo—dijo torpemente—. He de escribir... en una postal del pueblo.

La niña levantó la cabeza. Él entonces se azoró, y empezó a dar explicaciones:

—Es para un amigo. Un amigo que vive lejos de aquí.

Pero se calló ante la muda mirada de la niña. Paulina recogió los cromos de su falda y los colocó a un lado. Luego se levantó con lentitud. Abrió la cortinilla de la ventana-escaparate y descolgó el largo cartón de las postales.

Pedro lo cogió maquinalmente y se acercó más a la niña, mirándola a hurtadillas. Se daba cuenta de que ella era muy alta y espigada, tan alta como él mismo. Así, de cerca, no era tan niña como le pareciera de lejos. Los arcos de sus cejas eran casi perfectos. Al descorrer la cortinilla, la luz bañó de lleno su rostro y la piel cobró, con más intensidad, una tonalidad entre rosa y oro. Pedro vio sus labios finos, un poco levantados en los extremos. Su cuello largo, que cerraba el escote redondo del vestido. Bajo la tela del corpiño apenas se iniciaba una curva leve, más debida quizás al

latido de su respiración que a la realidad de su cuerpo.
Pedro apartó los ojos, asaltado por un sentimiento in-
cisivo, casi doloroso. De pronto, algo parecido a una
furia pueril, absurda, se apoderó de él. Empezó a mirar las postales, que no le importaban en absoluto.

—Paulina — dijo sin mirarla. Y entonces se deses-
peró, por tener apenas catorce años. Hubiera querido
ser hombre. Un hombre. Para irse de allí, para no haber entrado nunca en la tiendecilla, o, tal vez, para
arrancarla a ella de aquel lugar pequeño y sórdido. Llevársela, llevársela a un lugar donde nadie pudiera ver
el brillo de sus hermosos cabellos rojos, la transparencia de su carita y de sus manos, su mirada fija y dorada.
Ahora, cada movimiento, cada gesto nuevo de la niña,
era un descubrimiento angustiosamente dulce para él.
Verla sentada, o de pie, o de perfil, abría un mundo
recién estrenado de sensaciones húmedas, cálidas, ab-
sorbentes. Pedro creyó que una mano cruel le sujetaba
por sorpresa, traidoramente, clavándole allí para siempre.

Se daba más cuenta que nunca — aunque aquello,
en realidad, no pareciese tener una relación directa con
la niña — de que era pobre, muy pobre. Estaba allí a
su lado, y sentíase mortificada. Sin que él mismo pudiera medir lo que decía, se oyó preguntar:

—¿Quieres subir a la feria conmigo? Hay muchas
cosas y todo está muy bonito.

Paulina sonrió débilmente. Pedro vio por primera
vez sus dientes blancos, un poco separados. Así, sonriendo, volvía milagrosamente a ser más niña, más sencilla. Como si de pronto hubiera espantado una legión

de pájaros oscuros, llenos de presagios turbadores, la sonrisa de la niña comunicó a su corazón una ilusionada luz.

—No puedo ir —dijo Paulina—. No me dejan. He de estar aquí, en la centralilla, mientras ellas andan por la cocina. Porque es domingo y viene a comer el párroco.

Pero Pedro ya no podía volverse atrás. Se sintió agitado por una impaciencia alegre, punzante. Dijo una cosa que él mismo sabía descabellada:

—Pues escápate, que se fastidien: escápate.

Estaba él dispuesto a todo, aunque sabía que no tenía dinero, que no podía invitar a nada a Paulina. Y sin embargo, nada le detenía ya.

—No, no puedo —dijo la niña, con tristeza—. Luego sería peor. Son muy rabiosas y no puedo... ¡No me gusta que hablen de mi madre! ¡Ellas no saben nada de nada!

Pedro dudó un instante.

—Bueno, pues entonces pide permiso. Puedes decir que es domingo y que hoy no se trabaja. Eso es lo que puedes decir. Y además sólo un ratito... Bueno, mira, si dicen que sí estaré yo esperando al final de los árboles. Anda, atrévete: no es nada malo, ¿sabes?

La niña quedó perpleja. Sus pestañas temblaban un poco.

—No es nada malo —repitió, pensativa.

Pedro salió de la tienda. Fue, como había dicho, hasta el final de los árboles, y se sentó al borde del mar, con las piernas colgando. Empezó entonces a roerle una gran preocupación. Buscó en sus bolsillos.

Todo su sueldo lo entregaba a su madre y de él ella apartaba una cantidad pequeñísima y se la devolvía, para que pudiera tomar una taza de café en el chiringuito, porque en la oficina no había calefacción y salía de allí con el frío metido en los huesos. Pedro sacó de los bolsillos algo más de una peseta: un billetito arrugado y un montón de calderilla. Contempló las monedas de níquel brillando con un fulgor pobre, casi ofensivo, en la palma de la mano. Mentalmente, se le presentó el cartel del tiovivo, del tiro al blanco, del futbolín: todo era superior a dos pesetas. Sin embargo, por encima de su preocupación andaba de puntillas una esperanza alegre, audaz. Estaba pensando en esto cuando la vio venir. Llegaba con sus pasos rápidos, sonriendo. Venía hacia él, y parecía que una gran alegría inundaba sus ojos.

—Han dicho: "Sólo una vuelta…" — explicó precipitadamente —. Han dicho esto porque estaba el párroco delante. El párroco les ha advertido: "Es domingo, debéis dejarla ir. Hoy es un día de descanso…" ¡Ya ves! Pero sólo una vuelta, para ver la feria. Dentro de media hora he de estar ya en casa.

Pedro pensó que aquella mañana el sol era hermosísimo. Subieron a la plaza de arriba, donde estaban instalados los puestos de la feria.

Había un gran tiovivo de autos enanos. Un puesto de tiro al blanco, un tobogán, máquinas tragaperras, carros de helados, puestos de fruta — ya empezaban las fresas, rojas, llenas de perfume —, caramelos y chucherías. Un gran altavoz resonaba en todas partes. En el aire flotaba su música pegadiza, no muy hermosa,

pero clavando una alegría viva, aguda, en el corazón.
Pedro sintió en su mano la tibia dulzura de la de
Paulina. La apretó dentro de la suya. Era como una
golondrina, palpitante, caliente. El sol les daba de cara,
entraba en los ojos, en los labios, acariciante. El sol de
aquella mañana era el más amigo que Pedro viera en
su vida. Una gran paz le invadía ahora, junto a la niña.
Una paz luminosa, totalmente desconocida, y que de
pronto se le antojaba como la justificación a sus días
tristes y áridos en la oficina. Pensó que para poder ir
aquella mañana a la feria valía la pena el trabajo, las
horas grises y cansadas. Entonces, como un balazo, le
atravesó un deseo: se casaría con ella. Se casarían y la
llevaría muy lejos.

—Paulina — dijo —, ¿quieres subir al tobogán?

No era esto lo que deseaba decir, pero... ¿qué otra
cosa podía hacer? Apenas lo dijo, tuvo miedo. No tenía
dinero, no tenía dinero. ¡Oh, qué amarga era la vida!
Pasaba el día entero en la oficina del puerto, estaba todo
el día privándose de cosas hermosas, buenas, y ahora
lo único que deseaba era imposible, porque no tenía
dinero.

Pero Paulina dijo:

—¡No, no! No me gusta... Solamente quiero dar
la vuelta a la feria, ver las cosas: lo que más me gusta
es ver las cosas. Nada más. Lo otro, "ser yo la feria",
me da vergüenza y no me gusta.

A Pedro le pareció que un viento frío levantaba su
corazón como una bandera. De pronto, todas las cosas
de su alrededor se hicieron pequeñas. La música le
pareció bonita, y la gente "que hacía la feria", una po-

bre gente. Dio un suspiro hondo y, sin saber por qué, empezó a reír. La niña le miró y, sin preguntar nada, rió también. Su risa era como una fuente, como la lluvia entre el sol.

Pedro se acercó a un puesto y compró cuatro caramelos. Uno era de fresa y los otros de menta, de limón y de naranja. Estaban envueltos en papel brillante, que tenía la fruta pintada y un letrero explicándolo. Fueron entonces a sentarse en las escaleras de piedra que bajaban al mar.

La niña cogió el caramelo de menta y empezó a quitarle el papel que lo envolvía. Guardó el papel en el bolsillo del abrigo, porque era muy bonito, y hacía colección. El caramelo era un ladrillito de color verde, transparente, donde el sol entraba como un pequeño grito, agudo, vivo. Parecía un casco de botella, muy bien cortado. Paulina lo cogió suavemente con los dos dedos y se lo ofreció. Pedro acercó los labios, lo cogió entre los dientes, sin decir nada. Había una rara solemnidad en todo aquello. Se le llenó el paladar con el aroma de la menta, le inundó su frescura, mirando a Paulina. Una alegría cortante atravesaba su pecho. Desde el mar se había levantado brisa, y los rizos rojos de la niña temblaban, sacudidos por ella. Pedro pensó que aquel fresco aroma de menta iría unido para siempre al recuerdo de Paulina.

Entonces la niña se volvió y dijo:

—Mi madre era bailarina... ¡Si supieras qué guapa era, y qué bonito era mirarla! Cuando yo sea mayor y ya no me dé vergüenza, bailaré también. Es muy bonito ir así, bailando, con música, a todas partes... Es muy bonito. Cuando oigo música, parece que se me escapen los pies. Tengo guardados unos zapatos. Eran de ella... Son los primeros que tuvo. Los guardo para ponérmelos cuando sea mayor, porque dan suerte. Tienen un tacón muy alto y unas cintas larguísimas que se cruzan en el tobillo. Pero tengo miedo de que mis pies crezcan y no pueda ponérmelos. Ella tenía unos pies pequeños.

De pronto, toda la alegría de Pedro se desplomó. Bruscamente, le llegó la imagen de su madre, su pobreza, su trabajo. Era un contraste tan grande, que el corazón de Pedro parecía alcanzado por una piedra. Muchas cosas sin nombre, sin cuerpo, pero vivas y ardientes, se derrumbaban a su lado. Tuvo frío, y se estremeció. Y, como por primera vez, se fijó en sus zapatos rotos, en su chaqueta zurcida, en las rodilleras del pantalón. Recordó las manos de su madre, remendando su ropa hasta lo imposible.

Paulina dijo, en aquel momento:

—¡Tengo que volver a casa, Dios mío! Ya ha pasado más de media hora.

Se levantaron.

—No, no vengas conmigo— dijo la niña —. Se enfadarían si lo supieran.

Echó a correr escaleras abajo, en dirección al Paseo del Mar. Pedro se quedó quieto, contemplando las trenzas que saltaban sobre su espalda, sus largas y finas piernas. Paulina desapareció.

Maquinalmente, Pedro se repitió: "Se enfadarían si lo supieran." No lo entendía: "¿Por qué?", pensó.

No; no lo entendía. Aún mantenía apretado entre los dientes el caramelo de menta.

Desde aquel día, Pedro acudió con cierta frecuencia a la tiendecita de Telégrafos. Compraba postales. Una vez ahorró más dinero de sus cafés y fue a poner una conferencia imaginaria a aquel amigo imaginario. El dinero gastado en postales y en la conferencia después le dolía, le escocía como un remordimiento, porque le parecía que se lo quitaba a su madre. Pero allí dentro los ojos dorados de Paulina le acariciaban, le miraban.

Había llegado el verano, hacía calor, y Paulina llevaba un vestido claro, con florecitas, y sandalias blancas. Un día, Pedro vio sus manos que estaban llenas de un polvo dorado, también sus piernas y, fijándose más, hasta sus labios. Tenía la piel enrojecida.

—Paulina—dijo él, con una alegría pueril—. ¡Has ido a la playa! Has ido a la playa, ¿verdad?

—Calla, calla—dijo la niña—. No me dejan, ¿sabes?

Los ojos de Paulina estaban llenos de alas oscuras. Había como un aleteo sombrío dentro de sus pupilas. Pedro recordó que Martina había dicho: "Tiene la cabeza llena de pájaros." Aquellos pájaros se asomaban a los ojos de Paulina. Él vio su vuelo inquieto, prisionero. Pedro sonrió con una piedad dulce, un tanto dolorida.

Los días que no tenía dinero, y nada podía entrar a comprar, Pedro se acercaba a la ventana-escaparate, como a mirar las chucherías. Del otro lado del cristal la mano de la niña corría la cortina, y él veía sus ojos risueños, transparentes, en muda inteligencia. Se quedaban mirando así, en silencio, hasta que ella dejaba de nuevo caer la cortina. Entonces él se alejaba.

Todo en ellos transcurría apretado de silencios. De un secreto que, en realidad, Pedro no sabía a qué obedecía. Pero era agradable. No hubiera él podido soportar que alguien hablase de aquello. De ella. De los dos.

Apenas volvió a hablar con Paulina. Su sonrisa callada, no obstante, le perseguía dulce e inquietante. "¡Pobre! —pensaba—. Tiene guardados los zapatos de su madre. Dice que tienen cintas largas para cruzar en el tobillo. Pero tiene miedo de que crezcan sus pies y no poder ponérselos."

Un gran deseo de llevarse a Paulina, de llevarla lejos, le aguijoneaba. Pero este deseo a menudo era enturbiado por la vista de su madre. A mediodía, por las noches, llegaba a su casa y la veía encorvándose extrañamente, triste, envejeciendo de un modo rápido y monstruoso. Su madre respiraba mal, tenía los labios amoratados y el color de la piel oscurecido, terroso. Un dolor ancho y cruel le llenaba, mirándola. Algo le decía que Paulina era totalmente incompatible con aquella vida suya, inflexiblemente marcada, a la que ya no podía escapar.

Pasó el verano y llegó el otoño, húmedo, enrojecido. Una tarde, Pedro entró en Telégrafos y no vio a Paulina. Volvió al día siguiente, y de nuevo le despachó la vieja Felisa.

—Su sobrina... ¿vuelve a estar enferma? —preguntó, fingiendo indiferencia.

Felisa le miró duramente, recogiendo las monedas que le entregaba, con los dedos curvos, de uñas sucias.

—No está —dijo—. Al fin hemos conseguido meterla en la Escuela de la Mujer. Salió ayer mañana, gracias a Dios. Estará fuera por lo menos dos años, aprendiendo un oficio, como Dios manda, a saber ganarse la vida, que buena falta le estaba haciendo.

A Pedro le pareció que la tienda se llenaba de sombra. Fríamente, como si no fuera él mismo quien miraba, sus ojos recorrieron las postales, las cajas de conchas, el calendario de la pared. Sobre la silla, el gato gordo le miraba con sus ojos verdes y malignos. Algo muy íntimo, muy hondo, se le quebró a Pedro en la sangre misma. Recogió aquella postal para aquel amigo imaginario y volvió a su casa. Más consciente que nunca, mirando aquel cartón, de que no tenía ningún amigo, de que estaba solo.

Una desesperación lenta, cruel, iba enfriándole poco a poco. "Dios", pensó. "Dios", volvió a decir. Si Paulina volvía, ¿cómo sería?, ¿qué sería de ella? Con dolor solitario, ácido, recordaba las pequeñas manos desamparadas de Paulina, los ojos de color de trigo, las rojas trenzas. La Escuela de la Mujer era una institución benéfica, gratuita, para huérfanas de marineros, y en ella se vivía con gran austeridad. Pedro imaginó lo que allí se pensaría de unos zapatos con alto tacón y largas cintas. Allí se aprendía a trabajar, para poder vivir. Y eso, tenía que reconocerlo, era una gran verdad, una terrible verdad que no podía echar en olvido. Pedro suspiró. Él sólo era un pobre muchacho.

Entonces se dio cuenta de que era a él mismo, a su propia ilusión a la que deseaba salvar. Era a su propio corazón que debía liberar, que quería rescatar en la frágil figura de Paulina.

Aquella noche no pudo dormir. Rendido, vio amanecer, palidecer el cielo, por el cuadrado torcido de su ventana. Frío, cansado, comprendió que se le hacía tarde y se levantó. Contempló en su cajón las postales en blanco, amontonadas, como una burla cruel.

Abajo, la madre estaba ya vestida, a punto de encaminarse hacia la fábrica. La miró, con ojos fatigados. Tenía profundas ojeras, que aún los hundían más. Pedro hubiera deseado acercarse a ella, apretar la cabeza contra su pecho, fuertemente. Pero no se atrevió.

La madre dijo:

—Date prisa. Hoy se te ha hecho tarde. Ten cuidado: no sería cosa de perder el empleo. Ya sabes cuánto nos hace falta.

No añadió: "Estoy enferma; tal vez yo faltaré pronto a mi trabajo." Pero el muchacho creyó leerlo en sus ojos, con un estremecimiento.

Pedro bebió su taza, de pie. Se puso la chaqueta y salió afuera. Al fondo de la calle, el mar estaba quieto, gris, indiferente.

V

Durante dos años la vida de Pedro apenas cambió. Los días se sucedían, monótonos, a veces ásperos. En la oficina del puerto ocupó un puesto más elevado y le aumentaron el sueldo.

Su madre había empeorado rápidamente. Apenas podía ya trabajar, y sufrió dos ataques al corazón que la tuvieron inmóvil mucho tiempo. Pedro había asistido a ellos, pálido, sin esperanza alguna. Cuando volvía de la oficina se sentaba junto a ella, mirándola. La madre llegó finalmente a tan grave estado que apenas podía moverse, y aun los solos trabajos de la casa la fatigaban de tal manera que Pedro sentía un gran dolor al verla. Siempre que su trabajo se lo permitía, el muchacho pasaba el tiempo junto a ella, con una mirada temerosa, vigilante. Se sentía como anulado ante aquella vida que se perdía, que se alejaba irremisiblemente de su lado.

A veces, de improviso, el afilado grito del tren parecía rasgarle algo íntimo de su propio silencio. Por un instante sentía el deseo de huir, de marcharse a algún lugar donde nada le atara ni le esclavizase. Pero eran unos momentos fugaces, y luego se sentía más ligado que nunca a aquel trozo de tierra y a aquellos seres.

Una tarde, al volver a su casa, le sorprendió un silencio grande, espeso. Subió la escalera con un gran temor, y halló a su madre en el suelo, sin conocimiento. Como pudo, la incorporó entre sus brazos, llamándola en voz baja, como asustándose de sí mismo. La madre tenía la piel arcillosa, y sus labios estaban secos, azulados. Trabajosamente la llevó hasta el lecho, y salió corriendo en busca del médico.

Vivió apenas una hora. Al anochecer ya estaba muerta. Esta vez, la muerte produjo en Pedro sensaciones muy diferentes a la anterior. Ahora ya no era un niño. Iba a cumplir diecisiete años, y su corazón estaba marchito, un poco vacío. Toda su soledad pareció ceñirle estrechamente.

De regreso del cementerio, Pedro pidió que le dejaran solo. Se cerró en la casa. Subió a su cuarto y, apoyándose contra la pared, ocultó su cara entre los brazos. Por la ventana abierta cruzaban las golondrinas, dando breves chillidos. Era el principio de abril.

Con la cara apretada entre los brazos, Pedro sintió una vez más cuán sórdida y falta de esperanza era su vida. Atado a aquella mesa de trabajo, a un trabajo que no le satisfacía ni le proporcionaba el menor orgullo, solamente podía aspirar a no morir de hambre ni de frío. Ahora no tenía tampoco a nadie junto a él. Llegaría de su trabajo, iría a él, únicamente por salvar la propia existencia, la propia estúpida vida. No valía la pena. No valía. Levantó la cabeza y miró la pequeña habitación. Contempló las paredes encaladas, la ventana. Despacio, salió de allí y empezó a recorrer la casa, con una extraña enajenación. Vio la cama de hierro negro donde él había nacido, donde había visto dormir a sus padres y donde los había visto muertos, por última vez. Lentamente, Pedro bajó la escalera, y cada crujido despertaba un eco de infancia. En la pared, con otras fotografías, con un calendario y unas rosas de papel, estaba el retrato de boda de sus padres. Contempló las conchas pegadas a los muros, y en los ángulos, sobre pequeñas repisas, las caracolas de mar, que tanto le gustaban de niño. Los anchos mosaicos rojos del suelo, los objetos de hierro y de cobre, las sillas y la mesa de madera. Pedro se sentó en el banco de la cocina, junto al hogar. Vio aquella pequeña silla donde él se sentaba, siendo muy niño. Ahora estaba vacía, contra la pared. Como arrinconada.

Todos los vecinos y los que no lo eran, algunos con quienes tal vez apenas había cambiado una palabra en su vida, se habían mostrado conmovidos ante la muerte de su madre. Muchos habían ido al entierro; y todos le habían llenado de palabras. Palabras huecas e incomprensibles para él, que nada decían a su corazón. Habían querido acompañarle, darle pruebas de amistad. Pero él había pedido que le dejaran solo. Se había desligado de todos. Su propia timidez le hacía aparecer insociable, rudo, arisco. Por ello estaba allí ahora, sentado, con la cabeza entre las manos, escuchando su propio corazón, su soledad, su silencio. Había enterrado a su madre. Había dejado a su madre dentro del polvo, de las pequeñas raíces, que tejerían entre su carne nuevas vidas húmedas, frescas, mortales. Había enterrado a su madre. Aquellas palabras tenían una voz interna, metálica, como resonando en una gran bóveda.

Alguien llamó a la puerta en aquel momento. Como

él nada dijera, ésta se abrió y entró un hombre. Pedro levantó la cabeza y vio acercarse al párroco de San Pedro. Era todavía joven, el mismo a quien oyera hablar por vez primera de Jesucristo y de la muerte. Se sentó a su lado, y le habló con voz afectuosa:

—Pedro—dijo—. Tú eres un buen muchacho. Pocos he conocido que fueran tan honrados como tú.

Empezó entonces a hablarle del futuro. Dijo que era malo quedarse solo.

—La soledad no es buena para una criatura tan joven—le explicó. Y todo aquello le estaba pareciendo a Pedro de una gran ironía.

—Déjeme—le dijo—. Vaya donde vaya, siempre estaré solo.

—No digas eso—repuso el sacerdote—; Dios está siempre a tu lado.

Le habló de cuando a su vez, como hicieron sus padres, se casara y formara una familia. De sus hijos, que crecerían y también tendrían hijos. Pedro le oía con una amargura atroz, y aún más le hundían aquellas palabras, en lugar de iluminar su camino. Todo cuanto le decía le parecía bárbaro, injusto y cruel. Estaba cansado. Necesitaba liberarse, y una inquietud formada por grandes desalientos, deseos agudos, decepciones, frenadas esperanzas, le martirizaba. Algo estaba diciéndole su corazón, como un constante latido bajo tierra, y él no lo entendía.

El párroco le habló entonces de intentar procurarle una beca. Sus palabras pretendían acercarse al muchacho, llevarle a un camino de paz. Pero Pedro no podía comprenderle. Había demasiadas cosas dentro de él, para que pudiera escuchar a nadie más que sus voces internas.

—¡Por Dios, déjeme! — dijo. Y en su voz había una gran angustia —. No quiero moverme de esta casa; no quiero moverme de aquí. Yo trabajo. Puedo defenderme.

—Pero casi eres un niño — repuso entonces el párroco —. No tienes ningún pariente y he decidido tomarte bajo mi tutela. Ven a vivir a mi casa. No tienes por qué dejar tu trabajo. No creas que deseo cortar tu independencia, porque sé que eres bueno. Solamente quiero ser como un padre, como un hermano para ti.

—¡Déjeme en esta casa! — suplicó Pedro. Y había tal desesperación en su voz, que el hombre le miró con una gran piedad. Vio su mirada negra, ahogándose en un dolor escondido, profundo, y comprendió que de momento era preferible dejarle solo.

—Bien — dijo —. Yo creo en ti. Piensa: te tengo una gran fe. Piensa bien durante unos días y Dios te ayudará.

Salió de la casa silenciosamente, como entrara.

Los días siguientes volvieron poco a poco a su normalidad. A su gris rutina. Incluso la piedad que había despertado fue diluyéndose, y su figura solitaria cobró ya parte del paisaje inalterable del pueblo. Pedro trabajaba en la oficina, iba a comer a la taberna del Quico y dormía en su casa. Le arreglaba la ropa y le hacía la cama una vecina, por una pequeña cantidad convenida. De este modo transcurrió un tiempo.

Alguna vez, el párroco le llamaba y hablaba con él. Pero nada cambiaba sus pensamientos. En plena adolescencia, su vida era seca, sin fe. No incurría en las diversiones de los otros muchachos. Su timidez le hacía aún más arisco. Tampoco era fuerte, no le gustaba beber, no sabía bailar, y el cine no le divertía en absoluto, por parecerle falso y sin sentido. Prefería pasear por la playa y el muelle, hablar de cuando en cuando con viejos amigos de su padre.

En la oficina ocupaba ahora la mesa grande. Pero su carácter cerrado y poco comunicativo le vedaba cualquier amistad. Algo parecido le ocurría con las muchachas. No puede decirse que, en cierto modo, no se sintiera fuertemente atraído por alguna de ellas. Pero, al mismo tiempo, parecíanle seres de otro mundo, algo totalmente incomprensible y ajeno. Mezclábase entonces en él un raro sentimiento de atracción y repulsión hacia ellas. Su lenguaje le era ininteligible, no sabía a ciencia cierta si realmente pensaban y sentían, o eran simples cuerpos que se movían y enredaban palabras. Esto le desazonaba, le agriaba. Si alguna vez se acercó a alguna de ellas, no tardaba en replegarse, en retroceder, con un gran deseo de abandonarla. Apenas cambiadas unas palabras se sabía totalmente lejos, distante y como si se contemplara a sí mismo representando un papel. Sí, a pesar de ello, continuaba, luego le quedaba la boca amarga y una sensación de vacío, al tiempo que como un deseo insatisfecho.

El recuerdo de la pequeña Paulina era para él ya algo lejano, como un sueño que jamás hubiera sucedido.

Pero un mediodía, al dirigirse a la taberna del Quico, subía lentamente la calle, bajo el sol, cuando se quedó paralizado. Una figura se acercaba, de frente. Era una muchacha aproximadamente de su edad, alta, con un vestido de color de menta. Avanzaba hacia él, y le miraba. Encontráronse sus ojos, y Pedro creyó que un sueño polvoriento resucitaba, que una pequeña mano levantaba la cortina, y unas pupilas doradas y translúcidas se fijaban en las suyas, con pueril complicidad. La muchacha llegó a él mismo y, milagrosamente, se detuvo. Sin saber cómo, estaban frente a frente, mirándose, quietos y sin decir nada. Y todo aquello era de una gran sencillez, tan natural como el sol, como la tierra que los sostenía así, cerca uno del otro con los ojos prendidos.

—Has vuelto—le dijo, al fin.

Ella continuaba callada.

—Has vuelto—repitió él—. ¡Cuánto tiempo!

Ella asintió.

—Y tú—dijo—. ¡Cuánto has cambiado! Casi no te hubiera conocido.

Su voz era aún la misma. Una súbita alegría hirió el corazón de Pedro. Su voz, al menos, era la misma. Ahora, el cabello se rizaba libremente, suelto, acariciando las pequeñas orejas, su frente alta y tersa. El cuello de la muchacha se alzaba con una blancura vibrante, plena. Pedro adivinó su sangre, dulce, cálida. Algo muy nuevo, y a un tiempo angustiosamente antiguo, despertaba en su vida. El sol del mediodía los envolvía, arrancaba una densa luz del cabello y la piel de la muchacha. Sus dientes brillaban y los labios tenían una humedad cercana.

—Paulina—dijo él, como la primera vez.

Pero ella ya se despedía, arrancada a aquel ensueño breve:

—Adiós, adiós... No puedo entretenerme; tengo prisa. ¡Como siempre!, ¿sabes?

Se alejó. Pedro ni siquiera se volvió a mirarla.

Desde aquel instante ya no pudo vivir. Entró en la taberna del Quico con ojos ausentes, comió sin saber lo que comía.

A la tarde, cuando salió de la oficina, sólo un pensamiento le llenaba, un solo deseo que le exasperaba hasta la locura. Todo se borraba frente a sus ojos, todo lo que no fuera su imagen: su alta frente, sus ojos, su cuerpo blanco. Se encaminó hacia el Paseo del Mar. Vio la puerta azul y el letrero de Telégrafos. Se quedó quieto. De improviso, sonó la campanilla de la puerta. Paulina había aparecido. La vio venir hacia él, directa, como guiada por sus ojos. Había algo irremediable, vencido, en todo lo que sucedía. Le pareció que actuaban como guiados por algo o alguien, que obedecían a un mandato antiguo y extraordinario. Pedro avanzó a su vez hacia ella. La cogió fuertemente por el brazo y la condujo más allá de los árboles.

La tarde estaba llena de luz. Una luz mansa, ensoñada, de un rosa anaranjado sobre el agua y la tierra. Iban los dos uno muy cerca del otro, callados, con el corazón apretado, como si temieran romperlo. No podían empezar a hablar; algo los sobrecogía.

Avanzaron por el muelle, hasta el embarcadero. Lejos, del otro lado, surgía la torre dorada del reloj. Había en aquel lugar, a aquella hora, una soledad abrasante y honda. Las barcas, quietas, tenían algo de extraña ciudad abandonada o dormida sobre la arena.

Las gaviotas tenían el vuelo bajo, y sus gritos parecían lejanos. La superficie del agua se rizaba, y se les introdujo en los oídos la profunda respiración del mar, llena de resonancias, como una enorme caracola. Entonces Pedro sintió un aluvión de preguntas. Comprendió que quería llenarla de preguntas, estrecharla, cercarla con sus preguntas. Las sandalias de Paulina se hundían en la arena. La muchacha se apoyó contra una barca, como extrañamente vencida por algo. Casi podía verse, a través de la ropa de su vestido, el latir acelerado de su corazón. Tenía inclinada la frente, y Pedro veía el suave temblor de sus pestañas, como alas de sombra. Pedro acercó la mano a los cabellos rizados que parecían despedir luz propia, una roja y ardiente luz. Sobre uno de los párpados tenía un lunar.

Todas las preguntas de Pedro se quebraron agazapadas en su garganta, y únicamente dijo:

—Dime… Aquellos zapatos de tu madre, aquellos con largas cintas, ¿aún los guardas?

Paulina levantó la cabeza. Casi tenían la misma estatura y sus ojos quedaban cerca, como fundiéndose.

—Sí —dijo—. Todavía.

Y, milagrosamente, a él le pareció que nada más hacía falta preguntar. Que ya todas las preguntas tenían una respuesta.

Cogió sus hombros, y su calor le comunicaba vida. Con una angustia dulce, con una agonía maravillosa y desconocida, acercó su rostro, tanto, que notaba sobre la propia piel el latido de la de Paulina. Se encontró pegado a ella por una fuerza casi ajena. Dentro de los

suyos, los labios de Paulina se encendían. Como a golpes, un amor violento, abrasado, se abrió paso en él, casi
brutalmente. Sintió cómo lo llenaba todo, cómo toda
su alma y su cuerpo se llenaba de la savia de aquel
amor. Una angustia infinita le oprimía, y, sin embargo, jamás había sentido una felicidad semejante.

Paulina se apartó con suavidad. A Pedro le pareció
hundirse en aquellas pupilas como en un lago, turbio
y luminoso a un tiempo. Un lago transparente, pero
cuyo fondo se adivinaba lejos, insospechadamente distante y oscuro. Paulina sonreía de nuevo. En las comi-
suras de los labios habían aparecido unas leves marcas
rojizas. De nuevo besó su boca, respiró su tibio aroma,
mezclado al aire caliente de la tarde. Un viento bajo
levantó arena a su alrededor, y la oyeron caer sobre la
barca como lluvia seca, sedienta.

Paulina cerró los ojos. Luego se apartó nerviosa-
mente de él. Su mirada estaba ahora inquieta, oscure-
cida.

—Adiós...—dijo—. He de volver a casa... ¡No
puedo estar aquí!

—¡No te vayas!—dijo Pedro—. ¡No puedes irte!
Si ahora me dejas, me volveré loco. No puedes, no
puedes separarte de mí.

Pero de pronto Paulina tenía miedo.

—Es por ellas—explicó—. Tengo miedo de ellas.
No me dejan, no saben que estoy aquí contigo... ¡Sería horrible si lo supieran! Ahora tengo que trabajar
todo el día. Ahora que he aprendido un oficio he de
trabajar para no serles una carga y devolverles todo lo
que me han dado. Lo han dicho. Y no puedo salir sin

su permiso. Me vigilan porque no quieren que me parezca... ¡Te juro que si no fuera por ellas, yo no me iría ahora! ¡Yo estaría siempre aquí, contigo!

En el corazón de Pedro se abrió entonces una gran desesperanza. La cogió fuertemente del brazo. Sabía que ya no tenía remedio aquella felicidad.

—Vuelve—le dijo—. Vuelve mañana, a esta hora... ¡Has de hacerlo!

Ella asintió. Como siempre, se separó de él y volvió sola.

Apoyado en la barca, Pedro miraba el mar, la tierra que lejanamente se hacía borrosa sobre el agua, el afilado morro del cabo. Del reloj del puerto empezaron a caer campanadas.

Volvió a su casa, sin pasar por la taberna del Quico. Iba andando como si no pensara, como si ardiera el suelo. En su corazón empezaban y acababan mundos.

Cerró la puerta y se sentó junto al hogar, que ahora estaba siempre vacío y apagado. Por la ventana entraba ya la claridad de una noche recién abierta.

Empezó entonces a darse cuenta de lo que le ocurría. Se daba cuenta de que había estallado en su alma algo, con una violencia atroz, devoradora e implacable. Nada podría ahogarlo ya. Y se dijo que, fuera como fuera, él debía salvarlo. Pensó en los años que aún habían de transcurrir, en el tiempo que, tal como la gente pensaba, debería dejar ir quemándose, consumiéndose. Vacío, desesperado, robando solamente unos minutos al día para su verdadera vida. "Mañana", se dijo. Y al otro. Y al otro. ¿Cómo iban a dejarse morir poco a poco, así, uno junto al otro, escondiéndose como ladrones? Le pareció que eran presos de una monstruosa injusticia. Que no podía ser así la vida. Y, sobre todo, tuvo miedo del tiempo. El tiempo que agostaba las cosas, que traía la muerte, el polvo seco del olvido, las cicatrices, las luces apagadas, las habitaciones vacías... No, no. Su corazón le decía que tenían que salvarse del tiempo, rescatarse al tiempo, a la vida, al polvo. No podían estar esperando. Su impaciencia abría heridas. No podían estar siempre esperando a "mañana".

Se irían de allí, la llevaría con él. Y de pronto le pareció que era fuerte, que nadie podría obstaculizar su camino, el camino por él trazado ya de un modo irremisible. "Nos vamos a casar", se dijo.

Estaba poseído por un fuego loco. Salió de su casa. Iba como en trance, alucinado. Bajó hasta el Paseo del Mar. Con la noche, los troncos de los árboles se recortaban negros, sombríamente altos. En cambio, la lejanía del mar se nimbaba de plata. Había niebla, y junto al cartel de Telégrafos la pequeña bombilla parecía un gusanito de luz.

Pedro no tuvo ni un solo movimiento de retroceso, de vacilación. Empujó la puerta de cristales. Sonó la campanilla sobre su cabeza y la oyó como una voz extraña, de otro mundo.

La vieja Felisa estaba allí, sentada. Levantando la cabeza, le miró. Y algo vio en los ojos fijos del muchacho, obsesionados, que la sobresaltó.

—¿Qué te pasa, chico?

Pedro se acercó a ella. Se oyó la voz. Era como si viese la voz delante de sí mismo, que decía:

—Tengo que hablarles. Diga a su hermana que venga: he de decirles algo.

Felisa le observó recelosa.

—Pero ¿qué demonios te pasa, chico?—casi le chilló, con miedo.

Al oírla, Martina apareció en la puerta de la habitación.

—¿Qué ocurre?—indagó. Tras ella, en la habitación encendida, Pedro creyó adivinar como una expectación contenida, ansiosa. El muchacho se les acercó más.

—Vengo a decirles que quiero casarme con Paulina. Voy a casarme con ella pronto, en seguida.

De momento, las dos se quedaron quietas, con la boca un poco abierta. La puerta que daba a la habitación encendida, oculta, parecía guardar una respiración desatada. Como en una película muy lenta, Pedro fue contemplando los rostros de las viejas, centímetro a centímetro. Luego, bruscamente, Martina señaló la puerta. Y, ¡ay!, parecía que sólo existía su dedo áspero y nudoso, rígido:

—¡Largo de aquí, imbécil! ¡Largo de aquí con tus bromas!

Entonces fue un dúo de voces destempladas y ofendidas:

—¿Se habrá chiflado el mocoso, o se creerá que lo estamos nosotras? ¡No se te ocurra volver por aquí en tu vida!

Pedro se supo violentamente empujado. Sobre él, la pequeña esquila había vuelto a reírse, fría, perdida.

La puerta se cerró con brusquedad y retemblaron todos los cristales tras su espalda.

Al principio, Pedro sintió frío. Luego, un sudor lento. Poco a poco, la humillación y la vergüenza se apoderaron de él.

Pero de nuevo recordó los labios de Paulina, su abrazo, el calor de su cuerpo contra el suyo y su voz. Aquella voz le arrancaba del alma una felicidad casi dolorosa. En medio de su fiebre le llegaba como una fresca caricia el recuerdo de su amor. "¿Cómo se puede ser tan feliz? — se decía —. ¿Cómo se puede llegar a sentir tanta felicidad?"

Junto a Paulina, todas las cosas eran nuevas, estaban llenas de sangre, de fe. De fe, sobre todo. Así lo comprendió. Por vez primera, algo le arrancaba de la sórdida tristeza, de la desesperanza. Comprendió de pronto el porqué de las cosas, el porqué de los hombres. Como un milagro se abrió ante él un mundo apretado de esperanzas. Y entonces entendió aquellas conversaciones de sus padres, en las veladas. Hablando de la casa, del hijo, del dinero.

La niebla baja envolvía la noche. Los árboles del Paseo del Mar, en la oscuridad, tenían un algo cerrado, hermético. Le pareció que estaba prisionero dentro de una gran jaula, de la que no podía escapar. Algo gritaba desesperadamente, dentro de su corazón.

Empezó a alejarse, como un sonámbulo, cuando oyó a su espalda unos pasos rápidos, persiguiéndole. Se volvió, y quedó paralizado al ver a Paulina. Venía corriendo, agitada. Cuando estuvo a su lado le cogió fuertemente de la mano.

—Pedro—dijo. Su respiración era entrecortada—.
Te he oído... He estado oyéndolo todo desde dentro.
¡Y ahora, cuando se creían que subía a acostarme, he
salido por la puertecilla de atrás, sin que se dieran cuenta!...

Pedro continuaba inmóvil. Casi no sabía si tenía
corazón dentro del pecho. Paulina se estrechó contra
él y le rodeó con sus brazos. Sintió de nuevo sus besos,
hondos y desesperados. Permanecía con los ojos abiertos. De cerca, eran sus pupilas una luz diáfana, terrible. Pedro creía ver dentro su propia angustia, toda la
incomprensión y la espantosa sensatez que los rodeaba.
La abrazó con toda su fuerza. Luego se quedaron quietos, la frente del uno apoyada en la frente del otro. Una
fiebre exaltada los mantenía así, unidos, silenciosos.

—Paulina—dijo él al fin—. No podemos esperar.

—No podemos—repitió ella—. Pedro, llévame
contigo, lejos de aquí, donde no pueda encontrarnos
nadie. Vámonos. ¡Quiero irme contigo, estar siempre
contigo! ¡Ahora ya no me puedo separar de ti!

Paulina le abrazaba cada vez con más fuerza. Empezaban a caerle unas lágrimas calientes, que él sentía en su propio cuello abrasándole. Las palabras de
Paulina salían atropelladas, como si durante años las
tuviera guardadas. Pedro pensó que huían aquellas
bandadas de pájaros oscuros que parecían prisioneros
dentro de sus ojos.

—No puedo, no puedo vivir aquí: estoy como si
me ataran las manos y los pies, como si no fuera yo. He
de estar todo el día al lado de ellas, trabajar para ellas,

oír lo que ellas dicen de mí. ¡Vámonos! ¡Vámonos! Yo sólo quiero estar contigo.

Entonces Pedro tuvo una lucidez extraña. Como si todo lo que fuera a hacer desde aquel momento se le apareciese alumbrado por una luz espectral.

—Escúchame, Paulina—dijo—. Vete ahora. Que no noten nada. ¡Pero vuelve! A las cinco de la mañana el tren para en San Francisco. Andando tú y yo por la vía llegaremos a San Francisco en media hora. A las cuatro y media te estaré esperando detrás de la iglesia, en el camino... ¡No tardes! Te esperaré. Nos iremos y nos casaremos lejos de aquí. Siempre estaremos juntos. Siempre, te lo juro.

Se desprendieron de su abrazo y Paulina volvió a la casa.

Pedro salió de entre los árboles acercándose al mar. Se sentía irreal, distinto. Casi no se reconocía. "Es como si me hubiera muerto y no me diese cuenta", pensó. Ahora, ya nada le podría volver atrás. Nada ni nadie hubieran podido hacerle retroceder. Se encaminó hacia su calle, precipitadamente. Se notaba la humedad de la niebla, densa, baja.

Cuando llegó a la casa hizo un paquete con su ropa. Contó el dinero y lo guardó en el bolsillo interior de la chaqueta. Aún era pronto, pero se sintió lleno de inquietud, de prisa. Como cuando murió su madre, recorrió la casa. Lentamente entró en las cuatro habitaciones. Miraba las paredes, donde su sombra oscura le estremeció.

Abajo, el hogar estaba vacío, apagado. Vio el banco donde se sentaba su padre, la silla donde su madre acostumbraba coser. Ahora ya no estaban, ya no eran nadie. El tiempo. El tiempo, "Paulina", se dijo en voz baja. Porque este nombre era su fuerza, su fe. Todo lo demás no importaba, no era nada. El tictac del reloj le pareció desmesurado.

Amaneció, al fin, y salió. La niebla, más espesa, lo envolvía todo. El gris del cielo le dio frío. De nuevo, experimentaba aquella sensación de irrealidad total.

Detrás de la iglesia, en el camino, había un banco de piedra. Se sentó en él.

Paulina se retrasaba. Empezó a ponerse nervioso. Paulina no llegaba. Oyó cómo el reloj del puerto daba la media. ¿Y si no venía? Aún hacía fresco, y en la mañana húmeda sentía frío. "Si no viniera...", se dijo con fría desesperación. Ya estaba en un camino por el que no cabían retrocesos. Se sabía disparado hacia algo, irremisiblemente. Si ella no viniese, nada tenía él que hacer en la vida.

El tiempo pasaba. Transcurrieron diez minutos más. Su corazón estaba como lleno de agujas y sentía un ahogo, una rabia impotente. La niebla le rodeaba cada vez más. Apenas se divisaban los cuerpos a un metro de distancia, cuando al fin oyó sus pasos. Se dibujaba borrosamente su silueta. Luego la tuvo cerca, al lado mismo. En la luz blanquecina, vio su cabello húmedo y rojo sobre los hombros. Paulina llevaba algo en la mano.

—¿Cómo has tardado tanto?

—Estaba buscando esto. Al fin lo he encontrado. ¡Lo habían escondido tan bien, para que no lo encontrara!...

Paulina le enseñó los zapatos de su madre. Eran más bien unas sandalias, de color verde, con tacón alto y cintas muy largas.

—Póntelas—dijo él. Y de pronto se dio cuenta de que había dicho aquello obedeciendo a un signo fatal.

Paulina sonrió. Sentóse en el banco de piedra y empezó a calzarse. Pedro se arrodilló para ayudarla. Pero los zapatos eran un poco pequeños y entraban con dificultad. Al fin se puso en pie. Se miraron, riéndose, con una alegría extraña. Algo flotaba en torno de ellos que les daba a las cosas un tinte irremediable. Se sintieron dominados por una gran excitación.

—Te ataré bien fuertes las cintas—dijo Pedro—. Hemos de andar de prisa y no sea que se te vayan desatando por el camino.

Cruzó las cintas dos veces en torno al tobillo de Paulina y, al fin, les hizo unos nudos tan fuertes y complicados que hubiera costado mucho rato volver a deshacerlos. Sobre los altos tacones, Paulina vacilaba, parecía que iba a caerse y romperse, como una figura de cristal.

—Cógete a mi brazo—dijo Pedro—. Hemos perdido mucho tiempo. Ya no podremos tal vez coger el tren de las cinco. Esperaremos al siguiente en el andén de San Francisco.

Rápidamente emprendieron el camino en recuesto. Subían con la respiración entrecortada. Como apenas se veía, a veces, de entre la niebla surgía frente a ellos un árbol. Y tenía un algo sombrío, como un muerto. Oyeron el débil canto de un pájaro.

Bruscamente, casi sin darse cuenta, se hallaron en

la vía. La vía negra, dura, a sus pies. Tenía algo cruel, doloroso. Al otro lado, apenas se esbozaba la silueta del olivar. Todo estaba lleno como de humo dorado, deslumbrador. El sol apuntaba, y teñía la espesa niebla.

—Vamos a cruzar — dijo Pedro —. Iremos por el lado de los olivos.

Pedro cogió por la cintura a Paulina y avanzaron.

El grito del tren, aquel largo y frío grito, apareció entonces, taladrando la niebla. El tren estaba allí, allí mismo, tras la dorada cortina de humo.

—¡Corre! — dijo Pedro. Pero al tirar de ella notó cómo se resistía. Algo sujetaba con fuerza el pie de la muchacha. Paulina forcejeaba inútilmente. Tenía los ojos muy abiertos.

—No puedo — dijo al fin. Su voz llegaba ya de algún lugar desconocido, lejano —. Se ha metido el tacón en la hendidura de la vía y no puedo sacarlo. ¡No puedo! Vete tú... Corre, déjame. ¡Corre, corre tú!...

No hablaron más. El grito estaba allí mismo, dentro de sus vidas. Inmóviles, se miraban fijamente. En el centro de los ojos dorados parecía crecer el grito, dilatarse. Pedro apretó más las manos sobre la cintura de Paulina. En las palmas notaba latir violentamente aquella vida joven, suya. La estrechó más y más, sin dejar de entregarse desesperadamente a aquellos ojos fijos, diáfanos. Tiempo. Tiempo. No había tiempo ahora. Pero se le agolpó una alegría monstruosa, un sinfín de imágenes, de cosas ganadas, hermosas, en el alma. Hundido en los ojos abiertos y dorados, que le miraban con un asombro infinito, como un sueño polvoriento tras el cristal de la ventana, apretó aquella cintura contra sí.

"No podemos esperar." "Tenemos que salvarnos al tiempo", escuchó confusamente.

El grito llegó. Los atravesó. Los dejó atrás. Desaforado y frío, agujereando la niebla, el grito desapareció de nuevo tras las últimas rocas.

LA RONDA

I

LA entrada al mundo de Miguel Bruno costó tres-
cientas sesenta pesetas de honorarios al médico ru-
ral, cincuenta más por gastos especiales, tres comidas
extraordinarias y la vida de la madre. Además, como
era tiempo de las lluvias y el viejo galeno hubo de hacer al efecto un viaje de tres kilómetros, llegó con
barro hasta las rodillas y su reuma se agravó conside-
rablemente.

Luego, Miguel Bruno creció al cuidado de una
vieja que al mismo tiempo se ocupaba de la casa, de la
comida y de las dos vacas.

A los once años Miguel fue al campo, junto al padre y al hermano mayor. En los días más crudos del
invierno aprovechó para acudir a la escuela, donde
aprendió a leer, a sumar y a mentir. La primavera le
empujó al río, a robar fruta verde, a la caza prohibida.
En otoño aprendió a cortar leña, a huir del forestal
y de la guardia civil, a hacer carbón. El mismo año de
su primera comunión cogió la primera y última borra-
chera, en una boda. Al siguiente abandonó definitivamente la escuela y trabajó fuerte en el campo, como
un hombre.

La casa de Miguel Bruno era de las más grandes

de la aldea. Estaba algo apartada de las otras, como si quisiera irse hacia los bosques. Cuando galopaban caballos en la cercana vertiente de Negromonte, una lámpara de hierro que colgaba de su techo se balanceaba. Además, algo como unas esquilas chiquitas se ponía a entrechocar, sonando en ella. Miguel Bruno no comprendía aquel tintineo ni el movimiento oscilante de la lámpara. Ni siquiera les llegaba el eco de los cascos, y, sin embargo, la lámpara oscilaba sobre sus cabezas, como una advertencia, como un presagio. Si había caballos galopando en Negromonte, ellos, dentro de la casa, se enteraban.

Siendo niño, Miguel Bruno preguntó el porqué de aquello. El padre dijo que no lo sabía, ni le importaba. El hermano habló confusamente de resonancias, vibraciones. Tampoco le importaba. La vieja, únicamente, dijo: "Será el diablo." Y sin embargo no lo creía.

Al atardecer, cuando descendían los rebaños por la ladera, ocurría de nuevo. La vieja decía: "Ya vienen los pastores." Y no oía ni silbidos, ni el balar, ni las piedras despeñadas. Sólo veía el temblor acusado de la llama y de las sombras, el balanceo creciente de los brazos de hierro. Y sólo oía el chocar de esquilas invisibles, con campaneo opaco, allí en la lámpara.

Únicamente en estas ocasiones Miguel sentía a lo largo de la piel un estremecimiento sutil, pero calándole hasta el alma, como un soplo siniestro, como un largo grito sin voz. En el techo, el humo del petróleo había dejado una isla negra, donde morían las arañas y las moscas. Y si él hubiera acercado allí la mano, se le hubiera consumido, le hubieran ardido sin luz todos los dedos hasta caérsele al suelo como barro deshecho.

Todo aquello sucedía en la habitación central. Justo en el centro, que era como si fuese toda la casa. Porque alrededor sólo existían cuartuchos pequeños, donde nada más se entraba para dormir o guardar cosas. En cambio, allí en la habitación central, que era grande y encalada, estaban la cocina y la mesa, las viejas fotografías, los objetos de cobre brillante y los cuchillos. No había ninguna ventana, sólo tres puertas interiores. Por eso la atmósfera tenía allí color, y cuando afuera nevaba, respirar allí dentro era quemarse. Ninguna casa de la aldea era como su casa.

Pero nada era para Miguel Bruno como la lámpara. Llegó a creerla un insecto de especie gigante. No era negra, pero lo parecía en contraste con la cal de los muros. Sostenía el tubo de cristal ahumado y luego extendía largos tentáculos en todas direcciones. Y en el extremo de sus brazos había cabos de cirio, apagados y amarillos como niños muertos. Una noche, porque había tormenta, la vieja los encendió en plegaria a santa Bárbara. Miguel tenía entonces ocho años y lo recordaba bien. Se había quedado dormido con la cabeza sobre la mesa, debajo de la lámpara. De pronto, una gota candente le abrasó la nuca, y despertó gritando. Había tintineo de esquilas en el techo y violentas sacudidas de sombra en las paredes. Con el balanceo de las llamas, la cera derretida le había caído en el cuello. Miguel subió a la mesa y apagó las velas una a una. Tenía miedo. Fue entonces cuando presintió un poder impalpable, feroz y vagamente enemigo sobre sus cabezas dobladas. Algo que flotaba, que existía más allá de su ir y venir sobre la tierra. Contempló el humo espeso que surgía del tubo de cristal y manchaba el techo, y la llama que silbaba tibiamente como la garganta de su hermano dormido. El humo negro asfixiaba insectos, enrarecía la habitación. El médico había dicho que se intoxicarían, que se les iba a envenenar la respiración si no agujereaban rápidamente toda la casa con grandes boquetes hacia el campo. Miguel apagó el quinqué, también. Un terror súbito y violento le ahogaba. Pero cesaron los galopes, cesó el balanceo, y una paz simple aquietó de nuevo el alma del chico.

Desde entonces Miguel Bruno miró siempre la lámpara, pero no preguntó por qué razón delataba los galopes de Negromonte. Eso sí: pensaba. Pensaba en cómo se queman las cosas, quietamente, de un modo inexorable. En cómo llegan hasta uno los ecos ajenos y el miedo.

Por eso ahora, en aquel momento, noche de octubre con ronda entre las piedras, Miguel Bruno estaba también en el centro de la habitación, mirando hacia la lámpara. La ronda era por despedir a los que iban a la guerra. En otro tiempo, las rondas eran por causa de las chicas. Ahora, de auténtica ronda ya sólo quedaba el nombre. El callejeo nocturno consistía únicamente en ir de una a otra taberna para beber hasta el alba. Y amanecer caído en el suelo de las eras, con los ojos turbios y la lengua pesada. Siempre por evitar pensar. No era bueno pensar. ¡Qué gran preocupación por ahogar toda reflexión! Ahora, los que se iban a la guerra también organizaban ronda. Ronda pesada, ronda que disimulaba miedo y ganas de huir o de gritar. Pero Miguel no era amigo de rondas. No sabía música. Y el vino se lo bebía mejor solo, sin amigos. De la guerra nada sabía, como ninguno de los otros. Sólo una orden que llegara el día antes, que los obligaba a partir en el alba inmediata. Una aurora cercana y, no obstante, antojándose desorbitadamente lejos. Miraba a la lámpara y estaba solo. A propósito la había encendido él mismo, con todas sus llamas. En cambio, el hogar estaba negro y en silencio.

—Es verdad; no sé nada de la guerra — se dijo. Pero es que tampoco sabía nada de su vida.

Un nombre llegó entonces a su recuerdo. Un nombre vivo y mordiente: Víctor Silbano, el enemigo oficial desde la infancia. Víctor Silbano, al que venciera siempre en los juegos, en el peligro.

Víctor Silbano era hijo del maestro de la aldea. Habían crecido juntos, habían participado en los mismos juegos y en los mismos castigos. El padre de Víctor Silbano no era más blando para sus hijos que para los demás muchachos. Luego, cuando, ya hombres, se encontraron, sus caminos quedaban claramente distintos. Diferentes como su piel, como el color de sus ojos, como sus deseos. No obstante disputaron una misma mujer, llegado el caso del amor, a los dieciséis años. Y, como siempre, venció Miguel. Pero triunfaba con hechos contundentes y palpables en todo aquello que el otro superaba con palabras y razones. Víctor Silbano era el único hombre de la aldea que sabía y quería hablar.

A menudo las palabras de Víctor Silbano le habían traído a Miguel un viento frío que dejaba tensa su piel: como el temblor de la lámpara cuando los galopes de Negromonte. Pero luego pasaba. Y Miguel se decía: "¿Para qué?" A él le bastaba ser el más fuerte de todos. Él era el mejor y tenía derecho a lo mejor. Escupía entonces sobre las palabras incomprensibles de Víctor Silbano. Pero este nombre despreciado y rehuido, como todo cavilar hasta aquella noche, le estremecía la piel en una sacudida caliente. Odio violento y sincero, limpio y hondo, con raíces físicas y naturales. El odio de Miguel iba unido amorosamente al acto de matar, de suprimir lo odiado. Le subía a la nariz un aroma de espuma roja. Los labios de Miguel se humedecían, la respiración le cosquilleaba como fuego. Sin embargo, de nuevo ahora Víctor Silbano y él, junto al pastor del Aberco — aquel pastor que descendía en los atardeceres por la vertiente de Negromonte, en tropel con su ganado, como un toro más —, amanecerían súbitamente hermanos por la guerra, por la muerte.

De la noche a la mañana, unidos, por haber nacido los tres en un mismo año. Hermanos por eso, de la noche a la mañana. De la noche a la mañana enviados los tres al polvo seco, a las entrañas de la tierra indiferente, a la defensa de lo desconocido, tal vez de lo que iba contra ellos mismos. ¿Qué sabían ellos? Acaso Víctor Silbano y el pastor del Aberco, en este mismo momento, también estaban quietos y pensando, como recién acabados de despertar, se dijo Miguel. Porque él, Miguel Bruno, el de la casa aparte, tenía la sensación de haber despertado por primera vez. Su sueño

de apenas veinte años fue lento y áspero, sólo de vez
en cuando sacudido por el temblor azulado de la llama, por los lejanos ecos de alguien que huía o que llegaba. Sólo de cuando en cuando había sentido el miedo, la sensación de lo inmaterial y terrible, lo implacable. Y solamente ahora, en aquella noche última de la
aldea, de la noche a la mañana, se daba cuenta Miguel
Bruno de su espera. Miraba la lámpara, que iba co-
brando importancia en la habitación, que tenía una
negra, absoluta, importancia en la habitación. Estaba
ahora absurdamente quieta. "Ahora no tiembla." Ahora que él tenía el alma llena de galopes y amenazas,
ahora que su despertar le dolía, le dolía su ignorancia,
su bestialidad, sus años, todos sus años. Tenía que
saber, tenía que saber. Iba hacia la muerte, tenía que
conocer palmo a palmo todo lo que iba a perder. Y Víctor Silbano, el odiado, el casi hermano, no quedaba lejos de su ardiente sed. Se le pegaba al paladar su nombre y al corazón su curiosidad. Nunca había preten-
dido conocer a Víctor Silbano, ni a nadie. Tomaba el
desprecio de las palabras de Víctor como pobre defensa
ante su superioridad física. "Eres una bestia, nada
más", le decía Víctor. Bien, tal vez fuera cierto. Pero
él era el fuerte y temido. Todos los otros muchachos
lo sabían. En la noche aquella todos le vinieron a re-
clamar para la ronda, tal vez la última. Pero él los había despedido. Era la última, la última noche. Se iban
a emborrachar hasta la hora de partir. Era éste el único
modo de eludir despedidas a las madres y las otras mujeres. El único modo de espantar el miedo, de no mirarlo cara a cara. Pero él no. Él lo miraría fijo. Ahora

lo quería desentrañar, como miraba de cerca la llama
siniestra de la lámpara. Él no se uniría a la ronda. Iban
todos de taberna en taberna, en grupo, para despedir
a Víctor Silbano, a Miguel Bruno y al pastor del Aberco. Con la aurora, ellos tres serían tres más reclamados
por la guerra.

La ronda de Miguel, no obstante, iba a ser solitaria e intensa. Ronda hacia dentro, en busca de su propia vida. "Tengo que saber." Conocer, conocer. Las
sienes iban a estallarle. Cerró los ojos: la llama ya parecía arder dentro de sus pupilas. Horrible lámpara
quieta: y no como muerta, sino como si no hubiera nacido nunca. Miguel tenía que empezar a despedirse de
todo lo que no conocía. ¿Qué iba a perder? ¿Qué valía
la pena de entregar? Un débil quejido le hinchó el
cuello. La luz prendía cobres centelleantes en su piel.
Afuera, en cambio, hacía frío ya. Tal vez lluvia, y él
estaba allí, quemándose estúpidamente.

Miguel Bruno se apartó a un rincón oscuro, donde
guardaban el agua. Serían cerca ya de las doce. Taladrando muros, creyó oír, o imaginó, el rasgueo de la
guitarra. Cantarían. Se emborracharían y cantarían.
Odiaba las voces humanas. Él no cantaba: gritaba, a
veces. Su grito era como un relámpago estremecido, un
seco y largo latigazo a la tierra. Había de estar muy solo
para dejar libre el estallido de su voz salvaje, violenta.
¡Qué pobres se le antojaban a Miguel todas las canciones! Los hombres no deben cantar. No era hombre
para ir quebrando inflexiones de su voz pura, que le
sabía a sangre en la garganta.

Miguel Bruno se inclinó al agua y bebió. La boca

de la tina era grande, y dentro vio reflejada su silueta
con cabeza despeinada de pelo retorcido, negro. No es
de hombre emborracharse. Se bebe el vino despacio, se
bebe su aroma sobre todo, lentamente, con sabiduría.
Pero emborracharse es de niño que va a boda. El oír la
guitarra en ronda le encorajina a uno, le vuelve vino
la sangre: y ya es suficiente embriaguez ésa. No caer
nunca vomitando al suelo. Ahora, por el paladar y la
lengua, el agua lúcida y fría llegaba como un río muy
nuevo y breve. Miguel Bruno recogió las últimas gotas
mordiéndose los labios. Su sed no se iba a acabar. Había despertado a la sed. Y abandonó el ángulo y el
agua, y volvió a la lámpara. Los cirios se estaban des-
haciendo y en la madera de la mesa caían las gotas
de cera, se aplastaban y se volvían frías y amarillas.
"Ningún caballo galopa en Negromonte", se repitió.

Entonces oyó unos pasos arrastrados. Era la vieja,
que estaba llorando o rezando. La única de la casa que
permanecía levantada. Miguel miró hacia una de las
puertas y distinguió aquel montón de trapos negros
que a sus ojos era siempre aquella mujer. Pero ahora,
aquella noche, a pesar de la oscuridad, vio su rostro
como por primera vez. Una cara blanca entre los negros pañuelos. Una cara que palpitaba y que se daba
cuenta de que él partía.

Ahí al lado, el padre y el hermano no querían des-
pedirle. Le suponían ya unido a los otros, a la ronda.
Los dos se metieron en los cuartuchos, por no decirle
adiós. Le querían, y huían del adiós. Esperaban que
volviera sano y fuerte como se fuera, que volviese al
campo sembrado, como si sólo importase salvar la vida

y traer de nuevo toda su sangre a casa. Si ya le habían
herido hasta lo más hondo de su ser, con una sola orden que le abriera los ojos y le acribillara a preguntas.
"¿Por qué estoy aquí?" Parecía que realmente sólo se
naciese al borde de la muerte. Ya, lo mismo daba volver sano o quedarse espatarrado en la tierra, con todos
los buitres del mundo en acecho. ¿Cómo podría él ex-
plicarles esto? El hermano le quería, el padre le quería.
¿Por qué, y para qué? Tenía que saberlo y, tal vez,
recuperar tantas cosas. ¡Cómo le pesaba su ignorancia!
¡Qué extraño y ácido despertar! De la noche a la mañana, con todos sus años huidos, con todos sus años
aún no conocidos, sin saber para qué han llegado ni
para qué vendrán más. No. No. Tenía que saber.

—Mujer —llamó, quedamente.

La vieja se acercó, solícita. Le había preparado la
ropa, dijo. Tenía todo dispuesto, encima de la cama.
Lloraba largamente, como los perros.

—Dime: ¿fue aquí donde yo· nací?

Su ansiedad le volvía torpe la voz, como de niño.

—Aquí fue, sí —repuso ella, sin sorprenderse. Era
la única que no podía sorprenderse. Quizá sólo ella
podía intuir que él había nacido, crecido, únicamente
para aquella noche amarga de su despertar —. El cuarto era pequeño, y la trajimos aquí.

—¿Tú lo viste?

—Sí.

—Pues cuéntame. Cuéntamelo todo como fue.
Quiero saberlo.

—Me llamaron. Hacía falta. Pero tu padre no quiso que pasara contigo lo que once años antes, cuando

tu hermano llegó. Y esa vez llamó al médico. ¡Cosas! Le salió caro, porque hubieron de buscarle lejos. Llovía mucho.

—Por esta época sería...

—Sí. Todo el suelo estaba como un pantano. Pero aquí encendimos buen fuego. Había, gracias a Dios, agua en las tinas, aunque no mucha, y al hervir todo se empañaba y se llenaban de gotitas las paredes. El médico entró y se puso a jurar. "¡Bestias!, dijo. Os vais a envenenar la sangre si no agujereáis pronto esta casa." ¡Qué sabría él! Aquí, todo andaba calentito.

—¿Con luna?

—No sé. Nadie se asomó fuera... ¡Es decir, sí, sí! ¡Alguien salió! Fue tu hermano, que bajó al río por agua y no pudo traer porque bajaba turbia. ¡Qué manía de agua tenía el médico aquel! El río bajaba de color de las tejas. El médico sacó todos los juramentos que sabía.

—¿Y ella, qué dijo?

—Ella..., pues no dijo nada. Se murió. Si ahora estuviese aquí, ¡cómo lloraría! Entonces no lloró. Así son ellas: no lloran cuando os traen al mundo, sólo cuando os casáis u os vais a la guerra.

—Ni me vio, ¿verdad?

—Acaso... La enterramos al otro día, por la tarde. El agua bajaba limpia entonces, ¡para lo que servía ya!

Nunca había ido a su tumba. Miguel no sabía siquiera a punto fijo dónde estaba enterrada. Nunca había preguntado nada de ella.

El padre y el hermano, ahora, estaban ahí ocultos como insectos en las habitaciones pequeñas. Como ojos en acecho, como ojos llorosos que espiaran hacia el centro de la casa, hacia la lámpara, hacia el corazón suyo. La figura de su padre se le presentaba nueva, casi desconocida. "Estará despierto, no podrá dormir, como cuando se presenta mal año. Voy a entrar y hablarle." "¿Por qué le hizo, por qué quiso aún otro hijo si el primero fue deforme? ¿Por qué se quieren hijos? ¿Por qué se va a la guerra?" "Ahora, no quieren despedirme." La noche anterior, cuando llegó la orden de alistamiento, el padre dejó de masticar y dijo: "Carne de cañón." Luego quedó pensativo y empezó a hablar en voz baja y dolorida, voz de viejo ofendido: "Uno los tiene, los espera con miedo por si saldrán ciegos o mudos. Y luego te los quitan, te los matan, cuando uno ya los ve como árboles. Y se le pudren a uno en la tierra sin que siquiera uno sepa en qué lugar ni pueda ir a rezarles un padrenuestro." Pero no era ése el problema. No era eso lo que importaba a Miguel. Si no, ¿para qué volver sano y salvo?, ¿por qué y para qué le querían conservar? Imaginó la tierra encarnada y áspera, empapada de lluvias y abierta por el arado; recordó el pago inclinado y sus manos agrietadas agachándose al suelo para apartar las piedras. Recordó el trigo limpio en sus palmas, el frío del agua contra su boca ardorosa. Si su sangre corría para plantar trigo, beber agua, aspirar aroma de hierba, no le bastaba. No le bastaba, porque, a veces, había tenido miedo. Y el miedo lo fundía y encendía todo. Si se nace para morirse todos los días, ¡qué simples y monstruosos le resultaban todos los actos! Pensó en su ronda, que iría reconstruyendo de lugar en lugar, como un

peregrinaje, toda su existencia. Reconstituiría su vida
en pos de un solo instante que salvara todos sus años.
Si se le salvaba un solo instante que lo justificara, par-
tiría. Si no, nada valía la pena, ni siquiera salvarse o
desertar. Regresar es absurdo. Regresar, ¿para qué?,
¿por qué?, ¿con qué mensaje? Necesitaba ser egoísta.
Iría ahí al lado, en busca del padre y del hermano.
Buscaría a Víctor Silbano, al maestro, a la mujer que
quería, al pastor del Aberco, al hombre que vendía
vino. Los sacaría de la taberna o del lecho, los apalearía
como a perros, para arrancarles el porqué y el propósito
de sus existencias. Víctor Silbano, el pastor del Aberco,
Miguel Bruno, ¿por qué se iban?, ¿por qué habían de
volver? "He crecido—se dijo—. No sé para qué he
crecido." Salió lentamente de la habitación central y
se metió donde dormía el padre. Era un cuartucho
donde apenas cabía la cama. La pequeña ventana aparecía de color azul pálido, entreabierta, con una brisa
otoñal. Un resplandor de luna teñía el cristal.

—¿Aún estás ahí, hijo?—oyó. La voz del padre
había brotado lenta, con temor. Sabía que estaba desvelado.

Miguel se quedó quieto, mirando la ventana. Seguramente hacía frío, pero no llovía.

—Sí—repuso.

—Los de la ronda te han llamado. Más de una
vez. Vete con ellos, bebe. Es mejor... Estoy seguro,
hijo, de que tú volverás pronto. Tú volverás. Siempre
has sido el más fuerte, siempre has vencido, en todo.
Tú volverás.

Miguel miró hacia donde partía la voz. El padre enmudeció.

—¿Tuviste miedo cuando yo nací?

El anciano tardó en contestar. Seguramente no esperaba aquella pregunta, en aquellos momentos. No comprendía.

—¿Qué dices?

—Que si tuviste miedo cuando yo nací.

—¡Ah!, sí. Tuve, por ella. La primera vez fue todo tan mal... Le sacaron a tu hermano a tirones. Ya ves cómo quedó. Desgraciado para siempre. Y ella se salvó de milagro.

—¡No me importa eso! Por mí, te pregunto. Miedo por mí. Pero ya nacido. Ya hombre.

La voz del padre sonó baja y confusamente.

—No. Sólo por si pasaba como pasó once años antes, como tu hermano. Ella no debía tener más hijos. Sí, pasé miedo hasta que te vi. Pero tú has sido fuerte, sano y bueno. Has trabajado bien.

Estúpido. No comprendía. Nunca, nunca podría hacerle comprender. O, acaso, el estúpido era él mismo, era él el que no sabía entender. Pero pensó en el hermano tullido y de nuevo la sangre se agolpó en su cerebro. Cuando Miguel era pequeño dormía en el mismo jergón que su hermano. El hermano, durante la noche, no se despertaba nunca. ¡Estaba tan cansado! Le veía, negro y mal hecho, tendido sobre el colchón. Su garganta silbaba, como la llama en el tubo de cristal. Y le querían. Le querían a él el padre y el hermano. Un fuerte calor le entró en el pecho.

—Adiós —dijo.

No le contestó nadie. Nadie respondería, aunque el hermano escuchaba tabique por medio, desvelado. En la pared descubrió una cruz negra que había encima de la cama. Le pareció que la veía por primera vez, que nunca antes la hubiera contemplado, después de tantos años. Miguel buscó frenéticamente la puerta que daba al campo. Sí, era cierto que debían agujerear la casa, llenarla de viento y de frío, de sol y de lluvia. Para barrer toda su atmósfera callada y sumisa. Para no asfixiarse, como las arañas.

II

Afuera hacía frío. Una luna lejana andaba como rota por detrás de los álamos. La aldea estaba muda, pero las tabernas no se cerrarían en toda la noche. Toda aquella quietud, no obstante, le daba a Miguel Bruno una sensación palpitante de desvelo, de insomnio. El suelo despedía un extraño resplandor, casi dorado. En cambio los árboles brotaban recios, negros.

Miguel avanzaba pisando fuerte. A su espalda quedaba el Negromonte, lleno de sombras como largos silencios. Él se iba hacia las casas apretadas, hacia aquella escuela ahora cerrada y hueca, donde tal vez podría recuperar un algo de su infancia.

Únicamente los de la ronda recorrían las calles estrechas, paseaban su lento y pesado peregrinaje de una taberna a otra, arrancando ruido a las piedras con los clavos de las botas.

Miguel no los veía. Sólo oía el monótono rasgueo de las cuerdas que acompañaban sus voces. Pero los imaginaba bien, porque los había visto tantas veces a lo largo de los años. Se apoyaban en la pared o en los bancos de la taberna y bebían vino casi negro. Con vino manchaban la madera del suelo, sus ropas. No hablaban. Los que partían quedaban siempre en el centro de los que quedaban, hombro con hombro. No los abandonaban ni un momento, no les dejaban ni un instante un costado sin amigo. De pronto, alguno echaba atrás la cabeza y cantaba. El quinqué de aceite culebreaba. El tabernero invitaba a otra ronda para despedir a los futuros combatientes. No solían entenderse las palabras de las canciones. Brotaba la voz áspera, violentamente, cargada de vino. Se curvaba el largo junco de la voz hasta parecer que se rompería. Y la guitarra, detrás de todos, no callaba un momento. Era un acompañamiento bajo, burdo, primitivo. Un rasgueo monótono, que de lejos llegaba hasta uno como el mismo vibrar de la tierra, o como si fuera el péndulo de la aldea. Un extraño, vivo y hondo reloj que desmenuzara la noche obsesivamente. A Miguel le llegó un sonido como en ocasiones le llegara el temblor de la lámpara.

El miedo súbito le hizo pensar en el vino. Pero, ¡demasiado fácil! Demasiado fácil para él. Siempre había caminado limpiamente, con los ojos abiertos. No iba ahora a entregarse. "Todavía no. Todavía...", clamaba una esperanza extraña dentro de él.

Se fue a la plaza, que era redonda, debajo de la luna. Muchas calles empinadas partían de ella en todas direcciones, buscando el campo. Miguel Bruno se fue directo hacia los soportales de la escuela.

La escuela era estrecha, quizá la construcción más vieja de la aldea. Estaba alta, como colgada, sobre las columnas de madera. Cada columna era roble antiguo, mal cuadrado a hachazos. El tiempo dejó allí su paso negro, sus caminos de hormigas y de lluvias, lentamente destructores. Casi parecía torcida aquella escuela. En realidad, todas las casas tenían allí como un temblor continuo en sus contornos, porque no eran rectas, nada había allí exacto. Esto, tal vez, era lo que daba a la aldea la sensación de una vibración constante. El color rojo de la piedra ayudaba a creer en su latido vivo, callado, ardiente.

Pero ahora era de noche, y todo estaba oscuro. Miguel se paró en el centro de la plaza. Alrededor, los picos de las montañas brotaban negros y agresivos contra el cielo. El suelo aparecía desierto, húmedo aún por la reciente llovizna. Los ojos de Miguel buscaban aquella extraña escuela colgada alto. No había luz en ninguna ventana, y era todo como una antigua risa sin dientes y sin voz.

Arrancó corriendo hacia ella, en una repentina prisa. Arriba también vivía el maestro, el padre de Víctor Silbano.

El maestro. También ahora su recuerdo viejo, polvoriento, le llegaba con una extraña sed, con nostalgia de tiempo perdido irremisiblemente. El maestro. Intentó reconstruir su imagen. Tenía una cicatriz azul

en la mejilla. Su recuerdo dolía en los nudillos, porque
pegaba con una vara. Sus dientes estaban quemados
por el tabaco. Pero, desde que Miguel dejara la escuela y fuera al campo, ni siquiera volvió a pensar en
él una sola vez. Tantas veces, incluso, como había
pasado por su lado y no le había ni mirado. "Veinte
años", repitió. Veinte años creyendo bastarse solo, creyendo en sí mismo. Creyendo en todo. Y ahora, de
repente, encontrarse desnudo como un recién nacido,
sin saber qué es ni para qué se es. Veinte absurdos
años, incomprensibles años, que quería justificarse y no
podía, no podía, no podía. Miguel tuvo entonces vio-
lentos deseos de volver a ver al maestro, de hablarle,
de escucharle. Ahora sí. Ahora necesitaba palabras,
palabras. Razones. Esperanzas. Todo lo que había despreciado hasta entonces.

Un rumor crecía en la cercana calle. La ronda parecía ir a desembocar en la plaza. Miguel se pegó contra la pared, ocultándose en el soportal de la escuela.
Sus manos buscaron la puerta de madera. La empujó y
entró. Aquella cuadra, que había estado siempre vacía,
le llenó la nariz y la garganta con su antiguo olor a
moho. Buscó la escalera, angosta y crujiente. ¡Qué
pequeña se había vuelto! Ni siquiera crujía, ahora.
Daba sólo gemidos débiles, allá abajo, que nada tenían que ver con su primera ascensión infantil, tiempo
atrás. Además, ahora Miguel había de bajar la cabeza
para no chocar con el techo. Subió lentamente, como
deseando hacerla más larga.

La ronda cruzó la plaza. Se oyó más vivamente la
guitarra, y él notó la música en su sangre con una gran

tristeza. La ronda se internó por otra calle, y su música volvió a convertirse en un obsesivo y lejano zumbido. "Es como una llorera continua", pensó.

Había llegado arriba. Recordó que la escuela era una habitación larga, con ventanas hacia la plaza. Ahora se hallaba frente a su puerta, cerrada, con fuerte olor a moho. Instintivamente la golpeó con las dos manos, y un eco sordo, hueco, despertó el silencio.

Entonces otra puerta se abrió a su espalda, bruscamente, arrojando luz al suelo. Un hombre apareció en ella, allí donde la luz había dejado un cuadro amarillento. El hombre de la puerta abría los dos brazos apoyándose en el marco. Su sombra en el suelo era una cruz larga y oscura, que avanzaba siniestramente hacia los pies de Miguel.

—¿Quién está ahí? ¿Eres tú, Víctor?— dijo el hombre.

Miguel continuó callado. El hombre avanzó y la cruz desapareció del suelo para tomar la silueta de un hombre viejo y pesado. Era el maestro.

—Deme la llave de la escuela— dijo Miguel. Su voz había sonado hosca y enronquecida.

—¿Y tú, quién…?— exclamó el maestro entonces. Pero se acercó y le vio el rostro—. ¡Ah!— añadió, con tristeza—. Tú eres Bruno, el de la casa apartada. A ti también te llevan, ¿verdad?

Miguel no repuso. Volvía la cabeza hacia la puerta de la escuela, obstinadamente. "La llave, quiero la llave", pensaba.

El maestro puso la mano en el picaporte.

—Está abierta— dijo, sencillamente. La puerta se

dobló suave, sin ruido. Miguel Bruno entró y cerró a su espalda, con gesto brusco. Un vaho turbio le invadió. Las ventanas no tenían postigos, y el resplandor de la tierra, bajo la luna, entraba allí tibiamente, casi rojizamente. Entre las sombras partidas, vio de nuevo los bancos, desoladamente pequeños y lejanos. El techo ¡qué bajo era ya, también!

Miguel se sentó en el último banco. Le hubiera gustado encender una lámpara, llenar de luz la escuela y verla de nuevo, como si de este modo pudiera también encender la turbia y lejana infancia ante los ojos. Pero todo permanecía oscuro, en un sopor denso, sin una sola chispa.

Dejó caer la cabeza sobre el pecho y el recuerdo se fue transparentando, lentamente, suavemente, como tras una cortina de polvo. Era como un lejano rumor con voces, ecos y pisadas que fueran acercándose hasta él.

La primera vez que entró en la escuela fue una tarde de gran tempestad. Tendría apenas seis años. La vieja le había dado unas botas grandes de cuero engrasado. "Vete a la escuela, chiquito", le había dicho. Salió entonces él por la puerta que daba al Negromonte. Sí, lo recordaba bien. Se había puesto sobre la cabeza un manto de lana negro que a veces usaba la vieja para bajar al huerto, cuando llovía. La lluvia caía en menudos ríos por su cara. Calaba la lana del mantón. Cogió el sendero tal como hiciera esta misma noche, y se había ido a la escuela. ¿Qué querría decir el río ya entonces, con su bramido lejano y continuo? Se le oía como tramando malos sueños, miedo. Pero él los sacu-

día, los apartaba, y fue directo a la plaza. La escuela
parecía un gran nido colgado. Por las ventanas asomaban las cabezas de los chicos, como pájaros hambrien-
tos, con sus ojos redondos y malignos, con sus bocas
movibles, chillonas. El maestro llegaba en aquel momento, y las cabezas y los gritos desaparecieron. Miguel
Bruno entró en la escuela y subió la escalera despacio. La madera protestaba bajo sus botas y una lucecita
casi blanca bailaba sobre la madera, delante de él. Tal
vez era un rayo de sol.

Pero qué gran diferencia había en aquel maestro
de entonces, que él recordaba con una cicatriz azul y
manos crueles, a este hombre que ahora acababa de
hablarle en la escalera, cansado, agotado, casi afectuo-
so. Ahora, aquel hombre iba a hacerse viejo. Había
llegado a la edad en que uno va a hacerse viejo. Qué
edad extraña, con su negra fosa ensanchándose cada
vez más bajo los pies, y bajo los pies comiéndonos la
tierra, ablandándola, ablandándola · y desmoronándola
hasta arrastrar con su olor a humedad, a fango. "Ahora,
vive para hacerse un muerto", pensó. Miguel apretó
las manos una contra otra. Ir a la guerra, volver de
ella, para hacerse viejo. Y pensándolo, sabiéndolo, sentía Miguel cómo su juventud perdía fuerza, no tenía
sentido alguno. Miró la tarima, que en la sombra tenía un extraño contorno, como si guardara años. El
hombre joven de voz áspera e impaciente, el hombre
de los castigos breves y brutales, había estado allí, ha-
blándoles, a ellos, niños aún. El hombre joven había
llegado a la aldea con ambiciones y deseos. Tal vez
quería irse, proyectaba marcharse a otro pueblo, a

otra ciudad. Había llegado de una tierra diferente. Como un soplo lejano, Miguel creyó oír de nuevo su voz, su voz de los momentos de melancolía. Cuando el maestro llegaba pensativo y triste, apoyaba la nuca en el respaldo y hablaba. Hablaba sin mirarlos a ellos, ni a nada, ni a nadie. Tal vez los ojos se le daban la vuelta hacia dentro, como a los muñecos abandonados, como a los viejos muñecos que abandonaban las niñas en el suelo. El maestro hablaba sin darse cuenta del tiempo, ni de que nacían hijos suyos en aquella tierra, ni de que crecían sus niños, y los otros niños, y todos los niños del mundo. Ahora, viejo, parecía perdido en un bosque de niños-hombres. Por eso su voz parecía allí encerrada en la clase. Era como una torpe lucecilla que errase dando tumbos en las paredes, igual que una mariposa ciega. "Yo he nacido en una tierra llana que..." Miguel se estremeció. La oía, clara. Nunca había comprendido lo que decía. Jamás reparaba en lo que decía. Pero ahora volvía a girar en el fondo de sus recuerdos, como grabada en la cera blanda de su memoria infantil. Sí, sí. Recordaba que el maestro decía muchas veces: "Yo he nacido en una tierra llana que...". Miguel Bruno se asió a aquellas palabras, las repitió una y otra vez en voz alta, torpemente. De pronto, la luna se ocultó tras una nube y la clase se hizo negra.

Miguel levantó la cabeza. Miró al frente y supuso que allí, tras la tarima, debía continuar aún colgado el viejo mapa comido por los ratones. Sabía que estaba allí. Creía adivinar en la oscuridad las manchas de colores desteñidos. Cerró los ojos con desaliento. No

necesitaba buscar tierras nuevas. Sus preguntas limi-
taban y ensanchaban su mundo, extrañamente.

El tiempo pasó para el maestro. Habían nacido y
crecido sus hijos en la aldea misma. Víctor Silbano nació allí también. Miguel sintió arder su pena. No tenía
fe. Víctor Silbano creció entre ellos. Tenía su edad,
exactamente. Víctor Silbano, débil de cuerpo, lleno
de palabras, de palabras que le aturdían y le aguijonea-
ban a uno. Por eso, ahora lo comprendía, le había odiado. Por nada más que eso. Víctor Silbano envenenaba
con sus palabras, lenta e insensiblemente. Tenía tiempo
para pensar, porque no trabajaba ni se divertía. Las palabras de Víctor Silbano eran amargas, desazonaban
como hormigas. Uno deseaba cortarle la voz de un tajo
y para siempre. De repente, su odio tomó una forma
violenta, incontenible. Deseaba tanto verle, hablarle,
matarle. Pero, ya, matarle no podía satisfacerle, como
siempre creyó. A veces, a lo largo de su vida, había tenido este súbito deseo y quedaba tranquilo después,
hasta olvidarlo de nuevo. Pero ahora no. Ahora de
nada iba a servirle. Las palabras de Víctor Silbano quemaban como despertando también dentro de sus oídos, como una maldita herencia. Era todo el veneno
de Víctor Silbano el que se le había metido dentro,
como un mal de ojo. La vieja hubiera dicho que le había embrujado. Para espantar su miedo volvió a re-
petir: "Se va a hacer viejo, se va a hacer viejo". ¿Cuánto duraba la juventud?, ¿cuál era su privilegio? "Se va
a hacer viejo cualquier día." Pero no se amanece viejo
un día cualquiera. Se iba uno a la vejez sin sentirlo,
sin saberlo, sin edad concreta. Sin remedio. Y no ha-

bía ningún día fijo en que empezara la vejez. Esto era lo insoportable. De nuevo sintió como si la lámpara de allí en su casa temblara sobre su cabeza.

Se levantó bruscamente. Era una bestia, se dijo, una bestia ignorante, asaeteado por una turba de preguntas, ahogándose en un río de dudas y de miedo. El miedo, negro, viscoso, invadiendo su alma y poseyéndole a grandes oleadas. De pronto, Víctor Silbano le había contagiado todas sus preguntas. Esas preguntas que hacía ya muchos años le iban corroyendo a él. Veinte años que venía Miguel apartándolas de su lado, lanzándoles su brutal odio, para luego, de la noche a la mañana, hermanarse con ellas y marcharse a morir por todo lo que no se conoce, por todo lo que no se sabe.

Iba ahora a marcharse hacia el río, hacia donde fuese. Hacia donde latiera aún un eco de su verano. Se acercó más al pupitre del maestro. Inesperadamente, la luna salió de tras la nube y llenó de luz la pared frontal.

Entonces Miguel Bruno se dio cuenta de que ya no estaba allí el mapa. En su lugar, la huella más clara de una cruz que alguien había descolgado se recortaba netamente en la suciedad del muro.

III

Se levantó un fuerte viento, imprevisto. Víctor Silbano salió a la puerta de la taberna y miró hacia la callejuela, estrecha y negra. El viento aquel traía un rumor arrastrado y húmedo. Parecía que trepara calle arriba en remolinos, formando embudos monstruosos y brotando de la tierra misma, con todos sus viejos rencores removidos. Silbano avanzó calle abajo, con las manos hundidas en los bolsillos del abrigo. Tenía el rostro blanco y fino, casi infantil. El pelo, rubio y ensortijado, le prestaba un algo angélico, extraño a su expresión recomida, apretada, casi convulsa. Parecía que todo él deseara encogerse en sí mismo y retornar a una masa informe, fetal. Era una contracción, un gesto, que tendía a esconder sus propias facciones. Como un deseo de retroceder a la nada. Entre sus labios amoratados de vino, el cigarrillo medio quemado temblaba. Los rizos dorados, ajenos a él como una aureola de santo, ponían un no sé qué de acongojante, de penoso, en aquella cabeza.

El viento arrastraba ahora por el suelo cosas crujientes, como hojas secas o papeles. Las sintió pasar por entre los pies, en un rastreo siniestro, y se estremeció.

Víctor Silbano continuó descendiendo por la calle. Notó el calor del fueguecillo rojo, casi quemándole, muy cerca de los labios, y se detuvo. Escupió la colilla sin sacar las manos de los bolsillos y expulsó la última bocanada de humo, que le supo amargo.

Oyó voces, llamándole, a su espalda. A la puerta de la taberna, en el resplandor rojo que temblaba sobre las piedras, había de nuevo siluetas de amigos, llamándole para que volviera con ellos, para que no se fuera todavía. "Amigos — pensó —. Cuerpos de hombres que no sirven para nada. Están todos borrachos y nada les importa que yo muera o que me quede."

Volvió sobre sus pasos. En la oscuridad de la estrecha calle espiaba, a un lado y otro de los muros, alguna que otra blancura inquietante de las piedras. A Silbano el vino se le agriaba dentro, como la amistad, como el amor y como el odio. Sintió un frío punzante en el corazón y entró de nuevo en la taberna.

El tabernero sonreía, medio dormido, sentado bajo el candil, con los brazos cruzados. El pastor del Aberco, en cambio, estaba llorando. Las lágrimas le caían cara abajo, centelleantes. Daba risa verle así, hundido, lleno de miedo. El pastor no tenía ni madre ni nadie que pudiera quererle, pero amaba su cuerpo embrutecido, su voz con media docena de palabras, sus coletazos de vida. Ahora, por vez primera despojado de los anchos zahones de cuero, sus piernas parecían pertenecer a otro hombre que no supiera adónde dirigir sus pasos desamparados.

Los amigos volvieron a guardar los costados de Víctor Silbano, y él bebió otra vez. El vino áspero corría por entre los dientes, le buscaba cuerpo adentro, como una sangre falsa. Todos se habían cansado ya de cantar, más o menos borrachos, en una mezcla de dolor por los que se iban y la cobarde alegría de quedarse. La guitarra, abandonada en un rincón, tenía ya una cuerda rota, que se retorcía. Víctor Silbano no pudo contenerse y buscó de nuevo la puerta. Asomó la cabeza al viento, cada vez más fuerte, que hacía ahora temblar la llama del quinqué.

—Al fin Bruno no ha venido — dijo.

—¡Apestoso! — respondió alguien, con lengua torpe—. ¡Siempre aparte, él! ¡Apestoso!

Oyó un salivazo y, luego, un gran silencio. "No le perdonan su fuerza — pensó Silbano —. No le perdonan su vida." Como él mismo tampoco podía perdonarla, ni olvidarla, ni ignorarla. De pronto, Víctor Silbano apretó las manos contra el cuerpo, dentro de los bolsillos. Su mano derecha retenía con fuerza un objeto duro y frío. Afiló más la sonrisa que iba naciéndole en lo hondo, y echó calle abajo de nuevo. Sin hacer caso de los que le llamaban.

Iba ahora en acecho, como una alimaña. "Acechando, en la noche", pensó, con una oleada de cosas leídas, escritas o sentidas por él en un tiempo pasado: en un tiempo que por momentos parecía retroceder rápida, monstruosamente. Formando un ayer lejano, casi no vivido. "Acechando, en el viento de la noche, en un mundo perverso de jaulas vacías, golpes, manos manchadas de tinta." Recordaba ahora los pájaros que había libertado, las manos sucias de los tiempos escolares, los brutales ataques de Miguel Bruno. Aquel Miguel Bruno que apartaba a golpes todo aquello o aquel que se interponía en el camino de sus deseos.

Víctor Silbano llegó a la plaza. La tierra se arremolinaba en un viento huracanado. Allí estaba Miguel, por fin. Por fin pudo ver aquel cuerpo grande, quieto y negro. Inmóvil como un árbol. Pensando algo, recordando o escuchando algo, tal vez.

Silbano avanzó, con el corazón agitado. A un paso de él se detuvo. Miguel Bruno estaba con los brazos caídos, en un gesto de abatimiento infinito. En la mano sostenía su pequeño hatillo de ropa. Llevaba puesto el estúpido traje de los domingos, con su corbata y todo, que parecía iba a estrangularle.

Silbano se acercó aún más.

—Bruno, Bruno— le dijo—. Estoy aquí, a tu lado. Soy Silbano, Víctor Silbano. Yo tampoco voy de ronda. ¡Escúchame! No te quedes como un muerto, antes de tiempo. Estoy a tu lado.

Se lo repetía, porque el otro parecía ausente, como si el alma se le hubiera volado a alguna parte, y estuviera suspenso, aguardando.

Miguel Bruno volvió hacia él sus ojos. Víctor los vio relampaguear, grandes y oscuros. El viento, entonces, pareció envolverlos a los dos, girar alrededor de ellos dos tan sólo, con un aullido largo.

Súbitamente, la voz de aquel huraño Bruno llegó a sus oídos tal como él había deseado oírla siempre; una voz acorralada, llena de zozobra o de fiebre:

—¡Víctor Silbano!— exclamó—. Me alegras. Me alegra que hayas venido a buscarme.

Se pasó la lengua por los labios y respiró. Luego extendió la mano torpemente y le tocó en un hombro, con una fuerza extraña:

—No sé por qué necesitaba tanto oírte, esta noche.

Sí, es cierto que no hemos sido nunca el uno para el otro como verdaderos camaradas, como debíamos ser. Tal vez nos hacíamos daño los dos.

—Pero ¿de qué hablas? Nosotros somos amigos —y Silbano rio de un modo raro—. Nosotros hemos nacido el mismo año, hemos ido a la escuela juntos…

—¡Calla! Bien sabes lo que quiero decir. No te burles. No debes hacerlo ahora. ¡Si supieras, si supieras ya cómo me están envenenando tus palabras! Creo que nunca quise escucharte, porque tenía miedo: miedo. Como cuando veía temblar la lámpara: no te quería entender. Yo no quiero entender. Es horrible. Es malo pensar y comprender ciertas cosas. ¡Oh, Silbano! ¿Cómo has podido ir viviendo si sabes tantas cosas que deberían olvidarse? Si no te maté aquella vez, ¿recuerdas?, al lado del río… Si no te maté, digo, tal vez hice un pecado. Tal vez tú buscabas la muerte pinchándome con tus burlas. ¿No es cierto?, ¿me equivoco?, ¿no digo la verdad? Bueno, no me hagas caso, no me hagas caso, Víctor Silbano, pero ¡no era yo tan simple como creí, como deseaba! Esta noche he despertado. ¡Mi corazón siempre me anunciaba algo, y yo no sabía qué anunciaba!

—¿Te da miedo tener que ir *allí*? ¡Te da miedo! —y la voz de Silbano, al decir esto, se gozaba.

Bruno lo notó. Pero siguió diciendo:

—No es esa clase de miedo. Bien sabes que no es eso. Tú sabes que te estoy hablando de otras cosas, de todo lo que me has dicho estos años, poco a poco. De todo lo que se me ha despertado esta noche.

Silbano le pasó la mano por el brazo. Su otro puño

apretó más el objeto que retenía, que le quemaba ahora:

—Ven, ven, amigo. Vámonos de aquí. Esta plaza tan solitaria, tan grande, me corta las palabras. Este viento, aquí, me trae malos pensamientos. Vámonos adonde no nos traiga el viento esas voces de borracho. Ahí, al Negromonte. Quiero respirar tranquilo, hasta que amanezca y tengamos que marchar. Entonces iremos como ovejas. Nos meterán en un camión, como ovejas, y de nada servirán ya mis palabras para ti, ni mi silencio. Ven, sígueme.

Se fueron de allí. Avanzaron entre callejuelas, entre las casas que parecían temblar, y salieron al campo. Treparon entonces hacia el Negromonte. La luna entraba y salía por nubes, por árboles, por rocas. Ponía y quitaba sombras, frente a ellos. Delante iba Víctor Silbano, y Miguel Bruno le seguía, como hechizado.

Al fin llegaron al borde del barranco. Por aquella parte parecía cortado a pico, y en lo hondo del precipicio el río bramaba confusamente. Era el mismo río que había atemorizado vagamente el corazón de Miguel, siendo niño, aquella primera vez que fue a la escuela. Era el mismo río de toda su vida, en el que aprendiera a pescar, en donde se bañaba al llegar la primavera.

En los robles había grandes huecos, que negreaban como ojos enormes, espantables. Bajo la luna y el viento, los brazos de los árboles gemían.

Los dos muchachos se cobijaron bajo un roble. El viento allí arriba era solemne, más ancho y poderoso. Sentían la piel tirante bajo su empuje y los oídos se les llenaban de aquella voz con resonancia íntima, con un eco de antiguas cuevas, dentro de ellos. Se pegaron más al tronco del árbol, uno tan al lado del otro, que sus brazos y sus hombros se tocaban.

—Háblame — se obstinaba Miguel —. Sólo quiero oírte y preguntarte cosas: todo lo que no vas a poderme contestar. Sí: tú eres bueno para sembrar cizaña, pero no para aliviar el corazón. Sin embargo, necesito tu compañía. Y no voy a engañarte: no me siento tu amigo por esto. Creo que te odio más que antes. Me has ido envenenando poco a poco: en la escuela, en la calle, en todas las partes donde te encontraba... Cuando tu padre te envió fuera a estudiar, yo respiraba mejor. Pero en el verano tú volvías con tu pequeña cara de vicioso. Y yo volvía a notar cómo tus palabras iban agujereando mi alegría. Intentaba apartarte, despreciarte. "Es un miserable gandul, me decía. Su pobre padre se gasta los cuartos y le manda fuera para hacer de él un hombre, y él sólo sabe putear y beber." Yo sabía que no servías para maldita cosa, y que tu padre se disgustaba contigo. Pero cuando yo vencía en algo con mi vida, tú querías roerla con tu envidia de enfermo. No quería escucharte, ni entenderte. Te apartaba a golpes. Por eso te he pegado tanto. Y aquella vez, en el río, casi creí que te había matado, para no oír tu voz de culebra. ¡Pero esta noche han resucitado todas tus palabras en mi corazón! ¡Tus malditas palabras, en mi corazón!

Entonces Silbano empezó a mirar algo impalpable. A mirar a la noche o adentro de sí mismo. Su mano apretaba más fuerte aquella arma innoble que ocultaba en el bolsillo.

—Sí: te recuerdo bien—dijo, con voz alucinada, una voz que llegaba de algún lugar escondido en su alma—. Déjame pensar y recordarte. ¡Oh!, sí, éramos niños, y tú eras más fuerte que yo. Quise coger un pájaro. Tú te adelantaste, y en el centro de los otros chicos (todos ellos te temían y te admiraban), tú, con un alfiler de cabeza negra, le sacaste los ojos. Yo estaba llorando de miedo, desde el rincón. Yo te miraba, tú te reías. Te veía desde lejos, pero te acercaste con las manos manchadas de sangre, a pasármelas por la cara. ¿Y aquel perro que ahorcaste en el puente? Luego me perseguías con él, me perseguías y me lo lanzabas muerto, porque yo le había puesto un nombre, porque yo le había dado parte de mi merienda. Para que yo viera su lengua llena de moscas y de sangre. Tú me despreciabas porque era débil y cobarde. ¡Ah, tu vida, tu vida, cómo me revolvía las entrañas! Mi padre me compró unas gafas, ¿no lo recuerdas?... Tú me las arrancabas de un tirón, porque sin ellas yo me daba golpes y confundía las caras, y era como un muñeco en tus manos, como un pájaro o un perro en tus manos. Me llamabas cuatro ojos y me decías: "Habla, habla, rata sabia, dime ahora que mis ojos no valen más que el viento que hay dentro de tu cabeza. Háblanos ahora de lo que vale tu inteligencia." Luego me obligabas a resolverte los problemas de la escuela, y si yo me negaba me pegabas. A pesar de todo, tú sabes que yo me negaba. Sí, es cierto que mi lengua se hacía venenosa en aquellos momentos. Te decía: "Sin mí, probarán tus nudillos la vara de mi padre." Tú te desesperabas entonces y me esperabas a la salida. Recuerdo cómo yo iba temblando al acercarme a las esquinas donde tú estabas. Me golpeabas y me pegabas con más rabia aún. Pero yo no te resolvía el problema. Un día, junto al río, también creí yo que me matabas. Bien me acuerdo. Pero recuerda también cómo yo no callaba y te decía que así no te valdrían tu fuerza ni tus puños cuando al día siguiente mi padre te pidiera los cuadernos. Muchas veces, muchas, sin embargo, tú ganabas. La vida pasaba por mi lado. Yo la rehuí. La odié. Después vinieron aquellos años de las primeras cacerías. También quise ser de la partida. Yo también me agencié una vieja escopeta que había en el desván. Una vez quisimos ir al jabalí. Tú dirigías el grupo, naturalmente, y marcaste los puestos. El animal pasó por el mío, y yo, con mi vista torpe, erré el tiro. Se escapó en nuestras narices. Te acercaste y me cruzaste la cara. Me diste así, de revés, con todo tu desprecio... Yo me sentía sofocado por tu vida, por tu vida ignorante y violenta, por tu vida poderosa y estúpida. Sí, tu sangre. Sí, tus ojos de águila. Sí, tus pasos de animal cazador. Y tu trabajo. Volvías del campo, sudoroso y fuerte. Veía nacer el trigo de tus campos, y, a veces, miraba çómo llovía sobre la tierra que tú habías trabajado. Mientras, yo envejecía por minutos. Yo recorría siglos cada uno de tus días, con mis manos ociosas y mi corazón lleno de dudas. Luego llegó lo de Paulina.

—¿Aquella flaca, fea? ¡Bah!—la voz de Bruno se estremecía—. ¡Qué estupidez! No mezcles cosas. Te vas por tonterías. No es eso lo que quiero oír. Los chismes de aldea no los escucho.

—No era una estupidez para mí—continuó Silbano, sin oírle—. No lo era. Pero tú te la llevaste, sólo por una apuesta. Sólo porque yo la había querido. Era fea, pero yo tenía mi idea de ella, tal vez equivocada, y la amaba. ¡Eran sólo quince años, los nuestros! Sí, por pura fanfarronería, también te la llevaste.

—¡Ni me acuerdo de eso!

—Tu vida, tu vida. Claro, también yo, cuando salí de aquí, respiré, lejos de tu vida. Quise hacer una vida para mí. "Putear y beber…" ¡Buen lenguaje de bestia! ¿Sabrás acaso tú…? Cada cual se forma su vida. Era yo un niño, nada más.

Se calló, porque ahora a los dos los atraía de pronto la honda, la azul y pavorosa sombra del barranco, con un poder siniestro. Allá abajo el viento se volvía furioso. Instintivamente se acercaron más uno al otro y por primera vez volvieron la cabeza para mirarse de frente.

—¡Ah!, cuando me viste en el río—dijo Silbano, lentamente—. Te reíste de mi cuerpo blanco y delgado. "Gusano", me llamabas. Con tu piel roja y tu cuerpazo de toro. "Le haré tragarse su vida, pensé. Se la comerá él mismo." Tenía necesidad de destruirla. También me destruía a mí.

Ahora casi le abrazaba. Levantó la cara hacia Miguel y sonreía. Le apretó más el brazo alrededor del cuello.

Con la otra mano, al fin, desdobló la navaja. Le dio el golpe bajo, canallesco. Algo barboteó Bruno, y el viento se iba llevando un nacer de palabras, ya imposibles. De deseos, de protestas. De miedo, ya imposible. Miguel se dobló lentamente, se fue doblando de rodillas y escurriéndose al suelo, con la espalda aún pegada al tronco y la cabeza rígida.

Por fin Silbano vio su sangre, su sangre roja. La luna salió de nuevo. La sintió en las manos, sensual, agobiante. Su calor. Su calor. Se le pegaron los dedos.

Le cogió por debajo de los brazos y le arrastró al barranco. Los pies de Bruno, a rastras, iban hollando helechos y saltaban alguna que otra vez sobre las piedras. Al borde, Silbano se detuvo y se inclinó sobre la cara de Miguel. Vio otra vez los grandes ojos negros. Su boca abierta. Le pareció que se escapaba un hálito tibio de los labios. Los ojos también le miraban.

—¡Ah, sí, me escuchas! Me oyes, al fin. Mira lo que hago de tu fuerza. Estás vivo, y así irás notando cómo se te va el aliento. Mira si era importante, ahora que se te va. Mira cómo eran huecas mis razones y mis palabras, ahora que se te va. Mira si tenías razón tú y no yo, ahora que se te va.

Le empujó hacia el barranco, y el viento parecía que deseaba devolvérselo. Silbano sintió el vértigo del vacío, y le precipitó con toda su fuerza. Surgían tocones de árboles talados, alguna roca. Tal vez el cuerpo se quedó enganchado al caer.

Silbano volvió al árbol. Un sudor frío le llenaba. Temblando, se subió el cuello del abrigo. "Ahora lo sabrá todo. Ahora, tal vez, si está colgado sobre el río, verá sus brazos pendulares, tendidos hacia abajo, balanceándose. Caerá su sangre, y el viento se la llevará, menuda, invisible. Él quería preguntarme esta noche para qué su fuerza, para qué su sangre, y la sentirá huir, huir. Ahora lo sabrá todo. ¡En qué zona estará entrando! Cuando a mí me amontonen en el camión, él será ya la sabiduría. Será libre. Todo lo sabrá. Y nuestras jaulas vacías, nuestros cuerpos blancos, nuestro burdo, nuestro risible y trágico corazón, latiendo, latiendo, latiendo…"

Girarían las estrellas en los ojos de Miguel, y allá abajo, en la casa, tal vez la lámpara temblaba. Quizá la sangre que le resbalaba a lo largo de las piernas llegaría a meterse en sus zapatos. Miguel se vería huir a sí mismo, se vería correr ante sus ojos, penosamente. Se vería sumergir en las aguas del río, allá al fondo del barranco. El río que bramaba y que tal vez aún le asustaba.

Víctor Silbano cogió un puñado de helechos y limpió la navaja.

Descendió rápido, tropezando alguna vez con sombras que iba fingiéndole la luna. Abajo, la plaza estaba desierta. Se presentía la lividez del alba y algo se sonrosaba lejos. Un destemplado piar empezó a brotar de la arboleda, en el huerto del párroco. Cruzando la plaza, un caballo blanco olfateaba en el suelo, con belfo tembloroso. "Pace hojas muertas — pensó Silbano —. Ya sólo quedan hojas muertas."

En la taberna los chicos dormitaban, con las caras terrosas del amanecer. Sus cabezas despeinadas, el rancio olor de sus cuerpos sucios, le herían. Cogió al pastor, le incorporó y le sacudió el traje.

—Vamos ya — le dijo —. Es la hora.

Iban despertándose los otros y los miraba con unos ojos huidos, como acorralados.

Preguntaron por el que faltaba.

—¿Y Bruno?

Le esperaron. Alguien fue a la casa. "Aquí no está ya. Salió cuando la ronda", había dicho la vieja.

Se miraron en un silencio largo, inquieto.

—Idos —dijo el tabernero—. Idos, muchachos.

—¡Ha tenido miedo! —dijo uno, al fin.

—Sí. Ha desertado.

—¡Tiene miedo! No irá. Le cogerán, de todos modos, al infeliz, y será peor.

Víctor Silbano y el pastor del Aberco salieron y tomaron la carretera. El pastor aún estaba borracho. De cuando en cuando daba un traspié y se caía al suelo.

—¡Ese Bruno, cobarde! —decía, gritando, lleno de coraje—. ¡Ese bruto, tan fanfarrón, y es un cobarde!

Se cayó aún dos veces más. Silbano le levantaba, con gran paciencia. Parecía que aquella carretera no iba a acabarse nunca. La luz iba haciéndose más diáfana.

—Tal vez aún aparecerá —decía Silbano, con sonrisa indefinida.

Pero el otro seguía gritando:

—¡Cobarde, cobarde! ¡Se escapó por las montañas!

Así, cayéndose el uno y el otro ayudándole, iban los dos avanzando. Extrañamente hermanos.

LOS NIÑOS BUENOS

I

A veces pienso cuánto me gustaría viajar a través de un cerebro infantil. Por lo que recuerdo de mi propia niñez, creo debe de tener cierto parecido con la paleta de un pintor loco; un caótico país de abigarrados e indisciplinados colores, donde caben infinidad de islas brillantes, lagunas rojas, costas con perfil humano, oscuros acantilados donde se estrella el mar en una sinfonía siempre evocadora, nunca desacorde con la imaginación... Claro está que habría que añadir a todo eso el sonsoniquete de la tabla de multiplicar, el chirriar de la tiza en la pizarra, la asignación semanal, los lentes sin armadura del profesor de latín, el crujir de los zapatos nuevos, la ceniza del habano de papá... Y también rondan aquellas playas unas azules siluetas indefinidas que tal vez representan el miedo a la noche, y una movible hilera de insectos multicolores cuya sola vista produce idéntica sensación a la experimentada junto a los hermanos menores. Y aquellas campanadas súbitas, inesperadas, que resuenan desde sabe Dios dónde y se espera bobamente poderlas contemplar grabadas en el mismo cielo... En fin, no es posible abarcarlo todo, ni siquiera recordarlo.

Pero lo que no existe allí, ciertamente, es la absoluta comprensión del bien ni del mal. Por más fábulas rematadas en moraleja que nos hayan obligado a leer, por más cruentos castigos que se acarreen las mentiras de Juanito, por más palacios de cristal que se merezcan las pastoras buenas, la idea del bien y del mal no arraiga fácilmente en aquellas tierras encendidas y tiernas, como en eterna primavera. No existen niños buenos ni malos: se es niño y nada más.

No obstante, a los siete años yo senté plaza de mala. Todo el mundo estuvo conforme en ello, y yo misma acabé aceptándolo por algo tan natural e inevitable como la caída de los dientes o la lección de verbos irregulares.

El caso es que nací cuando ya había en la casa tres varones bastante crecidos, y mi primer error fue pretender imitarlos, seguirlos a todas partes y admirarlos hasta el fanatismo. Por las noches rezaba con la ferviente esperanza de que a la mañana siguiente me vería convertida en un muchacho como ellos, y podría andar de un lado a otro con las manos hundidas en los bolsillos.

Pero ellos me excluían siempre de sus diversiones, y mi humillación no tenía límites cuando se reunían los tres a contar cuentos prohibidos y me obligaban a abandonar la habitación, tras la burlona promesa de que "me los contarían todos el día de mi puesta de largo".

Era inútil que yo clavase los pies en el suelo desesperadamente, que me abrazase con fuerza a sus piernas. Era inútil: me ponían bonitamente en la puerta, la cerraban a mi espalda, y allí quedaba yo golpeándola rabiosamente con los pies, las manos e incluso la cabeza.

Estas escenas, unidas a la circunstancia de que me hubieran regalado un magnífico par de patines y yo no tuviera reparo en disfrutarlos sin cansancio pasillo arriba y abajo, crearon a mi alrededor una atmósfera poco benévola. Y colmó al fin la medida un incidente a mi juicio trivial, pero no así al de mis padres.

Hacía apenas un año que había ingresado en un colegio, y me correspondía por compañera de banco una niña gordinflona, con unas mejillas tan blancas, tersas y estallantes que yo experimentaba la imperiosa necesidad de escribir en ellas algo, con plumilla afilada y tinta muy negra. Este deseo me obsesionaba, me dominaba. La niña aquella era lo que se llama una criatura pacífica, cuya única travesura consistía en dibujar al borde de los libros unos muñequitos de elementales trazos, muy expresivos y regocijantes. A mí no me hacía demasiado caso, casi puede decirse que me ignoraba, y la paz reinaba en nuestro pupitre. Pero un día se quedó un buen rato mirándome fijo con sus ojillos de porcelana, y dijo inesperadamente que yo me parecía "al hijo del gitano". Desde luego, no me sentí ofendida, porque no sabía quién podía ser el hijo del gitano. Pero no sé por qué creí que aquellas palabras me concedían un cierto derecho sobre ella. Mojé mi pluma en el tintero y antes de que ella pudiera defenderse le estampé en la cara mis iniciales, con verdadera fruición.

Poco después ella lloraba a lágrima viva, y yo me sentía arrastrada por un brazo hasta el despacho de la superiora.

La superiora era una mujer alta, gruesa y bondadosa, con una voz tan dulce que invitaba al sueño. Aquella habitación, que no sé por qué llamaban "el despacho", con sus azules cortinas medio veladas, tenía un algo melancólico que encogía el ánimo y me hundía en las reflexiones más amargas. Pocas veces había entrado allí, pero siempre la luz amarillenta del sol bailoteando a través de los gruesos visillos me predisponía a la tristeza.

La superiora tenía una verruga en la nariz, sencillamente alucinante, que impedía prestar atención a sus palabras. De pronto deseé poseer una igual. ¡Con qué envidia, con qué estupor y admiración me habrían contemplado entonces mis hermanos!..., pensé. ¡Cómo hubiera atraído su atención si una mañana apareciese con una gruesa y brillante verruga, justa y precisamente en la nariz!

Pero aquellos refinados placeres me eran negados. Yo no poseía un lunar de pelo, ni un diente de oro, ni siquiera una de esas deliciosas manchitas rojas en la piel... No, no. Yo sería siempre sosa y fea, desprovista de todo adorno interesante. Mis hermanos — mis ídolos — no me prestarían nunca más atención que a una mosca, y sería para ellos durante toda mi vida una niña pequeña a la que era preciso arrojar de las habitaciones porque existían historias que no estaban a mi alcance. Y del mismo modo que existía un lenguaje vedado para mí, el mundo estaba plagado de cosas atractivas y extraordinarias que me serían siempre negadas: precisamente todo aquello que presentaba un ápice de interés a mis ojos... Esto pensaba yo, amarga y confusamente, cuando ella dijo:

—Veo que por lo menos estás arrepentida de tu conducta.

—¿Qué conducta?... — pregunté, bebiéndome las lágrimas.

—Y como veo que lloras...

Entonces doblé la cabeza y empecé a sollozar con todas mis fuerzas. La superiora dio por terminado su discurso, me atrajo hacia su pecho y trató de consolarme.

—Ya está bien..., ya está bien... — decía con dulzura. A mí me costaba llorar, pero cuando empezaba era de temer. Además, su verruga estaba tan cercana, tan próxima y rosada, que intensificaba mi amargura.

—Si por lo menos — dije entrecortadamente —, si por lo menos... tuviese una igual...

—¿Es que deseas alguna cosa especial? — sonrió ella, tan generosamente, que me alentó. Empecé a enredar los dedos en mi cabello, con una rara esperanza, mientras contemplaba cómo saltaban las lágrimas hasta mi cuello almidonado, como bolitas de cristal.

—Dime — insistía ella —. No debes callar tus penas... ¿Qué es lo que deseas?

—Una verruga como la suya, Madame — me decidí al fin.

Y yo misma, inocentemente, llevé a casa aquella carta en que se advertía a mis padres cómo yo era una niña mala, descarada y rebelde. El Colegio declinaba la responsabilidad de educarme. Aquello produjo un gran revuelo de indignación. Y fue entonces cuando se tomó la gran decisión: iban a enviarme con el abuelo.

Posiblemente, aquello hubiera supuesto una recompensa para otras criaturas. Unas vacaciones en las montañas deben de tener con seguridad sus atractivos. Pero daba la coincidencia de que por entonces yo sólo conocía a mi abuelo por referencias nada tranquilizadoras. Siempre nos fue citado como modelo de rígidos educadores, y en casa era frecuente oír comentar tras alguna fechoría de los chicos:

—A ti te convendría una temporadita en el campo, con el abuelo...

Las perspectivas no eran precisamente seductoras. El abuelo y su adusta casa de las montañas eran por entonces fantasmas más temibles aún por desconocidos. Supliqué, amenacé y prometí —aunque en realidad no sabía lo que se me exigía—, pero de nada me sirvió.

Así, pues, llegó el día en que entré por primera vez en su casa, una mañana nublosa, tras un largo y fatigoso viaje.

Le vi a él: estaba sentado junto a las llamas en aquel hogar de la sala, encendido aún en los últimos días de primavera, y que me recordaba un cuadro de las ánimas que había en alguna iglesia.

—Aquí está la manzana sana de la familia —dijo, señalándome con un dedo acusador. Y luego estuvo contemplándome largo rato, como quien mira un niño caído.

II

Mi abuelo no creía en Dios, pero siempre estaba blasfemando. Era un hombre muy alto, con manos rojas y ojos azules. Conservaba el color negro de su cabello, abundante y retorcido en millares de anillas que se pegaban húmedamente a sus sienes. El día en que perdió su último diente desterró la sonrisa de sus costumbres. Únicamente, y muy de tarde en tarde, se reía ásperamente en bruscas sacudidas.

Lo que más le hubiera agradado a mi abuelo en esta vida era poder inspirar terror a sus semejantes y amor a los perros. Pero pronto pude darme cuenta de que nunca consiguió ni lo uno ni lo otro, pese a que su casa estaba llena de ladridos y la aldea entera le debía dinero. Un niño se da cuenta en seguida de estas debilidades, si bien el cómo y el porqué es para mí un enigma. Yo no sabré nunca el motivo por el cual perdí casi en seguida todo vestigio de temor ante mi abuelo.

Del mismo modo, sus deudores — pese a saber que de un solo plumazo los hubiera hundido — se permitían reírse de él, ridiculizar su andar y sus gestos. Y aseguraban que mi abuelo quería purificar las costumbres de la aldea y matar al párroco.

Gritaba tanto que su voz podía confundirse con la de la tempestad, y gesticulaba bárbaramente, aunque

sólo fuese para asegurar que llovería. Los perros le en-
señaban los dientes y babeaban tras sus talones: y él juraba y juraba que entendía bien su lenguaje.

A menudo sus hijos le escribían instándole a que
abandonara las tierras y fuese a vivir a la ciudad; pero
él prefería arrastrar el bronco cortejo de sus años por
aquellas habitaciones sombrías, contemplar las aves
emigrantes, presentir el verano. La casa era enorme,
desconsideradamente grande, con las puertas llenas
de clavos mohosos y toscos escudos de piedra verdosa
en la fachada. Siempre hacía frío aquí dentro, aun en
pleno verano, y como llueve tanto en aquella tierra
trepaba el musgo por los desgastados bancos. Caso curioso: en los balcones de aquella casa crece la hierba
también. No comprendo este milagro. Aunque en realidad allí todo era un milagro, empezando por mi vida
misma. Me agarraba con las dos manos a los hierros
forjados del balcón, y podía contemplar allá abajo el
oro vívido del agua, como llorando entre el cañaveral.
En la casa de mi abuelo no había una sola criada, para
evitar la maledicencia—enfermedad crónica de aquellas tierras—, y le servían únicamente dos mozos de
cuadra y un viejo sábelotodo, que en sus buenos tiempos acompañaba de caza a mi abuelo y ahora guisaba
para él. Se llamaba Lobo: los domingos fregaba las
baldosas del suelo con gesto de grumete y cocía pan.
Era un viejo pícaro marrullero que había logrado las
llaves de la bodega y contaba irreverencias a propósito
de Noé, para ganar la difícil risa de mi abuelo. Era el
único que fingía temerle, pero intuí que era el verdadero amo de aquella casa, y le admiré.

No puedo mentir ahora diciendo que yo sufrí entre aquellas gentes. No puedo decir lo que no es cierto. Mi abuelo hacía ya muchos años que dejara de tratar con muchachos pequeños, y yo era ya para él como un vestigio lejano de sí mismo, a quien ni siquiera alcanzaba su afecto. La verdad es que no me molestaba lo más mínimo, a no ser que me interpusiera entre él y los objetos de su pertenencia, o rompiese algún cacharro. Me habían dicho que era un hombre duro, incapaz de soportar cualquier atisbo de "genialidad" infantil, y probablemente era cierto. Pero su paciencia e intolerancia no pasaba nunca de aquellas feroces explosiones verbales. Amenazaba con los castigos más brutales, pero jamás los puso en práctica, y aquel famoso y viejo método de golpear los nudillos con un junco que tantas veces había oído comentar a mi padre, no apareció por ninguna parte.

Tenía yo, pues, absoluta libertad para vagabundear por el huerto, para tirar piedras al pozo, perseguir a las lagartijas e incluso acariciar el cuello de los viejos caballos inútiles que mi abuelo conservaba en el establo. Podía también echar a correr montaña arriba, hasta la misma entrada de los bosques negros, y allí detenerme intimidada, desbordando supersticiones. Podía bañarme en el río, trepar a las ramas bajas de los árboles y cavar zanjas gratuitas en la tierra mojada y olorosa...

Pero el caso es que yo no amé aquella tierra, ni amé al abuelo ni a su casa tampoco. Desde el instante en que mis pies rozaron aquel suelo, me acribilló el deseo de abandonarlo cuanto antes, con una prisa hormigueante que no me dejaba vivir. Y este deseo no me abandonó porque aquella tierra y aquel abuelo me habían sido impuestos, y esto bastaba para desear librarme de ellos. Por más dulce que se mostrase la hierba, por más radiantes que se prendieran los incendios del otoño, por más que yo no había visto nunca un cielo tan lleno de países como aquél, deseaba marcharme, irme de allí.

El abuelo tenía seguramente demasiados recuerdos para detenerse a pensar en mí y era muy grande la distancia de nuestros años. El Tiempo había cavado un gran silencio entre nosotros dos, y no teníamos nada que decirnos. Durante las comidas me miraba a veces con cierta curiosidad. Y en una ocasión se quejó diciendo:

—En esto he ido a parar yo.

Una de las escenas que más claramente me demostraron qué poco respeto inspiraba mi abuelo a los habitantes de la aldea fue la siguiente: Unos muchachos mataron un corzo, y ensartándolo en un palo lo cargaron en hombros y vinieron a gritar debajo de nuestros balcones. Estaban borrachos, y empezaron a cantar una grosera canción alusiva a un viejo cazador que erraba todos los tiros y contaba luego grandes mentiras sobre sus andanzas de caza. Poco les faltó para nombrar directamente a mi abuelo. La lluvia les resbalaba por la cara, se les metía por el cuello de la camisa, y ellos seguían cantando, riéndose y bamboleándose. Noté cómo mi abuelo se ponía nervioso, porque aquello le debía de herir muy vivo. Recuerdo que había una gotera en el techo y hacía ¡clop! ¡clop! contra la mesa de madera, mientras el fuego chisporroteaba. Pero mi abuelo simulaba no oír nada, y de cuando en cuando se encogía de hombros como un niño. Un raro malestar me invadió, a pesar de que todo aquello era muy confuso para mí, y salí de la habitación.

Pero detrás de la puerta encontré a Lobo, escuchando y tapándose la boca con la mano para impedir las carcajadas.

—Tú no le quieres tampoco—dije yo entonces, riendo y tirándole de la ropa—. Tú no le quieres tampoco...

Entonces él me amenazó con la mano abierta, como si deseara aplastarme, y bajó corriendo la escalera.

Aquello afirmó mi sospecha de que mi abuelo era un ser grotesco, ridículo, de quien yo debía alejarme, fuese como fuese. Luego, la canción cesó. Los borrachos se habían cansado, y allí abajo, en el barro de la calle, sólo quedaban sus huellas revueltas en un charco de agua y sangre. Empañé el cristal con mi respiración y escribí con el dedo: "Abuelo tonto viejo loco."

Después eché a correr, ocultando mi risa, como Lobo.

Al llegar la noche, cuando los muebles tomaban un contorno amenazador, Lobo se embriagaba y cantaba, escondido debajo de la escalera, una tonada triste y arrastrada. Yo encendía una vela e iba a acostarme dándole vueltas al proyecto de evadirme de allí. Pero lo curioso es que yo no añoraba mi casa de la ciudad, ni a mis hermanos siquiera. Ni me entristecía tampoco la melopea del viejo hipócrita, sino que, por el contrario, tal vez todo aquello me cosquilleaba en la nuca deliciosamente.

Por eso digo que me gustaría viajar por los innumerables países que forman un cerebro infantil. En aquella casa y entre aquella gente, yo hubiera podido ser muy feliz.

III

Poco después, como ya estaba tomando el suelo un oscuro tinte friolero, la escuela del pueblo volvió a abrir sus puertas. Y llegó una extensa carta de mis padres sugiriendo la conveniencia de mi asistencia a ella: "... puesto que así podrá apreciar por sí misma la diferencia que va de un colegio como el que nosotros le habíamos procurado, a una de esas escuelas donde tantos niños menos afortunados...", etc. Y añadían que para una niña mala y descarada como yo, esta experiencia sería muy útil. La idea era excelente y pedagógica. Mi abuelo leyó la carta en voz alta, detenidamente. Luego la arrojó al fuego, sacudió la ceniza de su pipa y quedó pensativo.

—¿Voy a ir a la escuela? —pregunté.

—Está bien —dijo—. Pero como me vengan quejas de allí, te juro que me haré un cinturón con tiras de tu piel.

La escuela era una casa cuadrada, con paredes bastante bien encaladas, lo que la hacía resaltar blancamente del resto de la aldea. Rodeábala un terreno desolado, que tal vez en un principio fuese destinado a jardín de recreo, pero que el tiempo y la desidia con-

virtieron en un pequeño erial por donde el viento arrastraba papeles sucios y arrugados. Algunos "pájaros del
frío", amoratados y tristes, se apiñaban en el antepecho
de las ventanas en busca de una miga de pan.

El techo de la escuela era de paja y vigas, lavado
y mustio por las lluvias. Me acuerdo de que, por un
extremo, colgaba un nido seco y muerto.

Sobre la puerta, el maestro había clavado un letrero
que decía patéticamente: "Se agradecerán las clases
particulares. Todos los días, de 6 a 8. No importan domingos." Aunque lo de los domingos aparecía medio
tachado, sin duda por orden del párroco.

El día en que yo acudía por primera vez, la hierba
que iba pisando estaba enfangada, y el empinado sendero que llevaba a la escuela era de un cobre encendido, contrastando casi dolorosamente con aquel gris del
cielo. Fue como si ante mis ojos deslumbrados se exten-
diera el abanico de unos naipes fantásticos, donde se
mezclaban las rojas huellas del camino, los duendes
de ojos violeta que suponía ocultos en el granero, los
niños rapados de la aldea que apedreaban mi presencia.

A quien primero vi fue al maestro, y nunca mientras viva lo olvidaré. Se trataba de un hombre flaco y
larguirucho, con la frente abultada y cabellos tan des-
peinados que prestaban un nimbo de locura a su cabeza. Llevaba un traje muy raído, con grandes piezas
de tela más oscura en codos y rodillas. Estaba de pie,
a la entrada de la escuela, tratando de impedir que los
muchachos apedreasen el cartel. Tenía unos ojos brillantes, casi febriles, y en aquel momento aparecía rojo
de ira mientras chillaba: "¡Orden! ¡Orden!", a los chi-

cos. En el brazo izquierdo sostenía a un niño muy pequeño, y en la mano derecha esgrimía una larga vara de avellano. El niño iba sucio y descalzo, con cuatro dedos enterrados en la boca. Y de cuando en cuando pasaba la mano ensalivada por la cara de su padre.

Más tarde pude ver cómo aquel hombre pasaba el día entero con su hijo en brazos. Iba y venía por las calles del pueblo cargado con la criatura, sorprendiendo el paso de los campesinos con las explosiones de ira con que clamaba al cielo, sediento de justicia. Su cartel no tenía éxito en la aldea: nadie deseaba ensanchar el campo de sus conocimientos, ni siquiera por la módica suma de un duro la lección.

Un alumno nuevo es siempre acogido con recelo: Pero por aquellas criaturas fui recibida con franca hostilidad. Mi vestido sobre todo fue objeto de las burlas generales, me lo mancharon de barro, me escupieron y me dieron tirones de cabello. No obstante, el maestro los amenazó con llamar al párroco, y pude observar cómo el pequeño mundo salvaje se bamboleaba un tanto. El párroco era allí una figura muy temida.

Al fin entramos todos con relativa paz, y afuera sólo quedó un perrito negro y feo que se puso a llorar debajo de una ventana.

La escuela constaba de una sola planta capaz de contener unos cincuenta niños. Los bancos, de madera sin pulir y acribillados a cuchilladas, se alineaban en largas filas frente a la tarima del maestro. Los tinteros parecían pequeños pozos misteriosos, y soplando dentro se levantaba un polvillo morado que ensuciaba la cara gratamente y se metía por los ojos.

Alguien levantó por una punta uno de los cromos que colgaban en la pared y se oyó un zumbido de moscas negras y gruesas que salieron volando torpemente ante el regocijo general: "porque estaban borrachas".

Junto al pupitre del maestro había una especie de cestillo, donde dejó al niño. Después pasó la manga sobre los libros para quitarles el polvo y golpeó el tablero con la vara, para atraerse la atención.

Todo era tan nuevo, tan angustiosa y maravillosamente nuevo para mí, que permanecía quieta y encogida, con las manos sobre las rodillas. Tan verde y vivo era el paisaje de aquel mundo primitivo, que siento aún con qué sed me bebía los colores, los sonidos, las imágenes. Del techo pendían tres bombillas en fila india. Las paredes aparecían manchadas de humedad, formando extraños mapas por los que era grato dejar correr la imaginación. Se puso a llover otra vez. ¡Y qué dulce y cosquilleante música la del agua tamborileando sobre el metal del canalón! ¡Qué íntima y perezosa música, en la mañana gris, tras las ventanas! Afuera, en el prado, un chico corría con un palo levantado sobre la cabeza, como un abanderado.

En un ángulo había una vitrina donde se guardaban los *polígonos*, confeccionados pacientemente por el maestro con cartulina y goma y coloreados durante la clase de Gramática. También se guardaba allí *El Quijote al alcance de los niños* y otro *sólo para maestros*. Los cromos de las paredes, poco respetados por las moscas, representaban bien intencionadas escenas de la Biblia.

El maestro abrió un cuaderno y empezó a pasar lista. Tenía unas manos largas y pálidas, casi femeninas, que resaltaban extrañamente luminosas sobre la madera negra del pupitre. De cuando en cuando se interrumpía, su pecho se contraía dolorosamente sacudido y apretaba un pañuelo contra los labios. Entonces nos miraba con ojos de bestia acorralada y con la mano libre levantaba la vara para castigar al que descubriese riéndose de su tos.

Yo estaba sentada en una de las primeras filas, y al poco rato me llamó por señas.

—¿Cómo te llamas?

Se lo dije, y escribió mi nombre en el cuaderno. No es fácil olvidar la expresión alucinada de sus pupilas, extrañamente cercadas de amarillo. De pronto se inclinó a mí y me preguntó en voz baja por qué había ido a parar a aquella escuela.

—Porque soy mala.

—¿Dónde has nacido?

Pero él ya debía de saberlo de sobra, porque sin esperar mi respuesta empezó a hablar exaltadamente de mi ciudad natal, casi exasperado. Decía con las palabras más pomposas y rebuscadas que era la ciudad más bella de la Península, pero yo casi no le entendía. Luego se interrumpió, me miró con desaliento y quiso saber cuántos años tenía.

—Voy a cumplir ocho.

—¿Cuándo?

—El año que viene.

—Entonces tienes siete nada más —y volvió a inclinar su rostro hacia el mío—. ¿Entiendes lo que yo digo? ¿De qué te estoy hablando?...

—Decía que el mar le gustaba...

—¿Y qué más?... ¿Qué más?...

Pero yo no sabía ya qué responder. Me acarició los hombros y volvió a hacerme las preguntas más estrambóticas: cómo eran mis padres, cómo se llamaba la calle donde yo vivía en la ciudad, cómo era aquella casa, y los cuadros de las paredes, y las cortinas... Después se quedó un instante callado y pensativo, volvió a llevarse el pañuelo a los labios y me hizo señas de que me alejase.

A media mañana le trajeron una escudilla de barro y una cuchara de madera. Levantó la tapadera y se le medio borró el rostro tras una nube de vapor. Empezó a comer muy despacio, avanzando mucho el labio inferior. En aquel momento estábamos un grupito de diez niños leyendo en voz alta a su alrededor, y a la legua se notaba cuánta satisfacción producía entre los alumnos la contemplación de aquel espectáculo. Eran frecuentes las interrupciones por su causa, pero él ni siquiera lo notaba, pues por su parte aprovechaba los silencios para quejarse en voz alta, diciendo, poco más o menos:

—¡Qué vergüenza! ¡Qué vergüenza! ¿Es ésta una comida decente para un hombre? ¿Estas porquerías han de alimentar a un hombre con tres hijos, esposa y madre a quien mantener?... ¡Y por Pascua jugaré diez pesetas en la rifa, y el cordero no me tocará!... ¿Es que no vivirá nunca la justicia entre los hijos de los hombres?... ¡Señor, Señor! ¿Por qué esta injusticia? ¿Por qué unos tanto y otros tan poco?... ¡Maldita sea, y cómo abrasa el paladar!... Como siempre, han abusado de la pimienta... ¿Por qué me pudro yo en esta cuadra? ¿Quién me mandó a mí quemarme las pestañas en los libros, si vendiendo anzuelos en mi pueblo viviría ahora como un sultán?

Al final cogía el plato con las dos manos, se bebía así el caldo y se frotaba después los labios con el mismo sucio pañuelo que le servía para sofocarse la tos.

Poco antes de mandarme a casa me llamó de nuevo y me explicó con muchos pormenores que él había nacido en un pueblo marítimo justamente al lado del embarcadero.

—Teníamos una tienda de arreos para pesca —concluyó. Luego me dijo que esperase un instante, porque tenía que escribir una nota para mi abuelo.

Estuvo algún rato escribiendo y rompiendo papel. Y al fin me entregó un billetito bien doblado.

—Necesito contestación esta misma tarde —dijo—. No lo olvides: esta misma tarde.

En cuanto me hallé de nuevo en el sendero desdoblé el papel y leí:

"No es nada conveniente para la niña el trato con estas sucias y perversas criaturas. Por otra parte, la humedad de la escuela puede perjudicar su salud: por desgracia bien sé yo de esto, pero nadie atiende a mis quejas, y las goteras no se taponan como es debido, ni se sustituye ese techo de paja por un buen tejado. Otra cosa sería si se tratase de un nuevo cobertizo para los cerdos, ¿no es así?... Pues bien: yo me ofrezco a dar lecciones a la niña en su misma casa. No me importa acudir todos los días, a la hora que usted tenga por conveniente. La instrucción de una niña es muy importante, como usted no ignora, señor. No regatearemos sacrificios.

"No dudando de que mi proposición tendrá una excelente acogida, queda de usted afectísimo,

León Israel

Maestro titular de la villa.

"P. D. — Su nieta es una niña buena."

Por un momento me detuve, indecisa y desconcertada. Luego imaginé el tormento de las lecciones en casa del abuelo, sin probabilidades de evasión. No como en aquella maravillosa escuela, donde el más insignificante objeto contenía insospechados mundos donde poder refugiar la imaginación.

Por vez primera tuve conciencia del mal, precisamente en el instante en que a alguien se le ocurría decir que yo era una niña buena. Y rompí el papel en pequeños fragmentos, que se quedaron temblando en el viento como un enjambre blanco. Siempre he creído que allí, en aquel camino fangoso, perdí la infancia.

A la hora de comer, cuando me hallaba sentada frente al abuelo, dije:

—El maestro quiere venir aquí todos los días.

—¿Qué quiere hacer aquí ese loco de atar?

—Me dio un recado para ti.

—También yo tengo uno para él... ¿Qué ha sido del trigo que le presté? ¿Qué hizo de él y del dinero?...

—Dice que me dará, si tú quieres, lecciones particulares...

—¿A cuenta de sus deudas, eh?... ¡El diablo le lleve, a mí no me tomará más el pelo!... ¿Es que acaso no aprendes en la escuela bastante?

—Sí, sí. Aprendo muy bien.

—¿Qué es, pues, lo que quieres?... ¿Prefieres dar clase aquí en vez de allí?...

—Yo no quiero nada, abuelo: te lo juro. Pero él...

—Si allí aprendes bastante, no sé a qué viene eso. Es un pícaro tramposo que me debe más de mil reales.

—Quiere una contestación, con prisa... Tiene mucha prisa siempre.

—¡Prisa de mal pagador!... Todos somos buenos para pedir.

—Le tengo que llevar una contestación *tuya*.

—La tendrá. Y buena.

El corazón me bailaba de contento. Pero sabía que no me portaba bien, y que, si no hubiese roto la nota del maestro, tal vez las cosas hubieran ocurrido de otro modo distinto.

Después dije al abuelo que los chicos de la escuela se reían de mi vestido.

—¿Pues qué quieres ponerte?... ¿Cuándo me dejarás tranquilo?

—Quiero ponerme un pantalón de pana y unas botas.

—Está bien. Dile a Lobo que te busque algo por ahí.

Al día siguiente mi indumentaria no tenía nada que envidiar a la de un muchacho que se dedicaba a barrer los establos por cincuenta céntimos y se paseaba por las calles con un escobón al hombro. Se la habíamos comprado a él mismo.

El maestro me esperaba con demasiada impaciencia para sorprenderse de mi aspecto. Me acerqué a su pupitre y le dejé un papel doblado, donde mi abuelo había escrito sencillamente: "NO."

Se quedó pensativo, con el papel en las manos. Luego lo arrugó y lo tiró al suelo. No dijo nada, pero estuvo toda la mañana coloreando pirámides de cartón con manos temblorosas. De cuando en cuando me miraba, pero ni siquiera parecía advertir las burlas de los muchachos, que eran aún mucho mayores. Precisamente entonces fue cuando empezaron a llamarle "el general Tontaina".

A la salida de la escuela el maestro se acercó y me cogió de la mano. El niño se había dormido, con la cabeza doblada sobre el hombro de su padre. Le seguí, arrastrando los pies, con un vago temor.

Me llevó hasta el lindero del camino que atravesaba las tierras de mi abuelo. Unos hombres araban el suelo tras las vacas negras, y sus breves gritos sacudían el tedio de la mañana como pequeños latigazos casi visibles en el aire.

—Todo esto es de *él*—dijo—. Todo esto y casi la aldea entera... Pero el viejo avaro te viste como el último de sus criados, indecorosamente. ¿Y por qué te expone a los malos ejemplos de esas "larvas de campesinos" y a esa humedad que nos está matando a todos?... ¿Por qué no consiente en proporcionarte una instrucción adecuada?

—No quiere, no quiere — me apresuré a decir con los puños apretados—. Es inútil que intente usted hablarle... Se enfadará, echará lumbre por la boca, como dice Lobo.

—¡Ah!... Lumbre por la boca, ¿verdad?

—Así hace, porque jura y maldice...

—¡Qué ejemplos! ¡Qué ejemplos!

—Le juro que eso de las clases no lo quiere.

Pero me guardé muy bien de añadir: "Ni yo tampoco."

—Viejo avaro, egoísta, mal cristiano — dijo él, furioso. Y escupió al suelo—. ¿Es justo esto?... ¿Es justo?

Le entró una de aquellas locas exaltaciones que le hacían brillar los ojos y enrojecer la piel. El niño se despertó asustado, empezó a llorar y a pegarle en la cabeza; pero él parecía no notarlo siquiera, paseando de arriba abajo por el borde del sendero.

—¿Por qué, Señor, existe gente así? ¿Y de qué me sirvió a mí toda mi juventud sacrificada, de qué me sirvieron mis ilusiones, mis esperanzas?... ¡Tenemos hambre, Señor, tenemos hambre!... ¿Es que no oyes a cada instante, a cada minuto, que tenemos hambre?... ¡Y ya sé, ya sé que en casa se me mira con reproche, se me exige, como si yo tuviese la culpa!... Pero yo ¿qué puedo hacer?, ¿qué puedo hacer?... ¿Quieres decirme tú, Señor, decirme qué puedo hacer?...

Aquel "¿es justo?, ¿es justo?" vivía continuamente en sus palabras, en sus gestos, en su misma voz.

—¡Y ese viejo ignorante y blasfemo, pudriéndose en oro!...

Abrí los ojos ante aquellas palabras. ¿Dónde guardaría mi abuelo...? Y no sé por qué recordé el granero lleno de mazorcas, todas rojas de sol.

—¿Para qué querrá su dinero?... ¿Para quién guardará su condenada tierra?... ¡Así se le hiele la cosecha, así se hunda la casa y se le mueran todos los perros!

Lo de los perros sí que lo hubiera sentido.

—Y aquí, esta pobre criatura inocente, ¿qué ejemplos para ella, los de aquella casa?... ¿Cómo crecerá esta pobre bestezuela?

La "bestezuela" empezó a clavar los talones en la blanda tierra, porque necesitaba desahogar la maligna alegría de su corazón. Y es que algo había despertado en mí, advirtiéndome de que había hallado en el maestro un aliado, y presentía que pronto, gracias a él, podría abandonar por fin aquella tierra.

—Ven conmigo, ángel de Dios — me dijo.

Entonces me llevó a su casa. Tenía alquiladas dos habitaciones sobre la tienda de la aldea. En la tienda vendían esparto, velas, lazos para cazar en época de veda y pedazos de neumático para confeccionarse calzado. También había allí — desde sabe Dios cuánto tiempo atrás — un barril de aceitunas.

El tendero era un hombre chato, que apestaba a aguardiente. Como la tienda lindaba, tabique por medio, con una de las tabernas del pueblo, había mandado practicar en la pared una ventanilla giratoria por donde podía asomar la cabeza y pedir con toda comodidad:

—Otra.

De este modo el tabernero le servía copa tras copa, y se evitaba muchos viajes.

Aquel día estaba sentado en el suelo con un gato en las rodillas y la gorra echada sobre los ojos. El maestro le zarandeó para despertarle y gritar, señalándome:

—¡Ahí la tienes! ¡Nadie diría que es la nieta del viejo!... Haraposa y descuidada, cuando él podría forrarnos a todos de platino... ¡De platino he dicho: sí, señor, de platino! Voy a ocuparme yo de su instrucción sin cobrar un céntimo, porque me da pena. No tengo corazón para estas cosas. ¿Qué opinas tú de los seres como el abuelo de esta inocente?... ¿Qué piensas tú de ese...?

El tendero levantó su visera con dedos perezosos y me miró.

—Es un *atrasao*—comentó, bostezando.

Aún continuó un buen rato el maestro vociferando las injusticias de mi abuelo, su avaricia, su ridiculez y su mala lengua. La verdad es que nadie le hacía demasiado caso; pero la mujer del tendero y dos o tres parroquianas que allí había me miraron con curiosidad y cierta compasión.

Al fin subimos arriba. Las habitaciones estaban impregnadas del olor de la tienda, y aparecían los muebles amontonados en el reducidísimo espacio. Se notaba que habían sido construidos con vistas a un porvenir mucho más desahogado. Por eso daba aún más tristeza contemplar cómo se hacinaba allí toda clase de objetos: libros, vajilla, zapatos, ropa... Había dos camas que llenaban casi toda la vivienda y en una de ellas permanecía acostada la madre del maestro, con su pañuelo anudado a la cabeza. Estaba paralítica y medio tonta, mirando rígidamente frente a sí, mientras su nuera con un niño de pocos meses atado a la espalda le daba de comer. Una ventana muy pequeña robaba un poco de luz a la callejuela gris.

Aún tenía otro hijo el maestro, el mayor de los tres. En seguida me di cuenta de que era ciego, por el modo de levantar los ojos hacia la voz de su padre. Tendría unos cuatro años.

La mujer del maestro era joven, con grandes ojos negros y cabellos muy lacios que se enroscaban en largas tiras en torno a su cuello. Cuando su marido le mostró mi mal vestida persona, me miró con indiferencia y continuó en silencio, metiendo la cuchara en la boca de la vieja. Entonces el maestro volvió a enfurecerse. Se puso a dar paseítos cortos por el breve espacio libre, y a decir:

—¿Qué creerás que ha contestado ese granuja?... Pues ha contestado con toda su grosería: "NO"... ¡Eso ha hecho! ¡Eso ha hecho conmigo, con un hombre que podría estarle descubriendo a él cosas durante diez años!... ¿Por qué te callas?... ¿Crees acaso que no sé lo que piensas tú también? ¿Crees que no adivino tu pensamiento? ¡Qué mala suerte hiciste conmigo!, ¿verdad?... ¡Anda, mujer, anda, dímelo tú de una vez!... No puedo soportar ese silencio de víctima: sé bien que estás ya harta de mí: eres joven, márchate... Déjanos a los niños y a mí en este cementerio y vete... ¿A qué esperas? ¡Yo no te retengo! ¡Vete, vete de una vez!

Pero la mujer no decía nada. Terminó de dar de comer a la anciana, se levantó y pasó a la otra habitación.

—Siéntate—me dijo entonces el maestro, con la

respiración agitada. Obedecí, y él abrió un libro y estuvo leyéndome en voz alta algunos pasajes de la Sagrada Biblia. El niño ciego se sentó a sus pies, siempre con aquella mirada alzada que parecía contemplar la voz.

Yo me aburría soberanamente, pero no me atrevía a marcharme. Al cabo de un rato, la mujer apareció en la puerta y apoyó en el marco la cabeza, mirándonos, con las pestañas brillantes de lágrimas. El maestro lo advirtió y cerró el libro de golpe.

—Anda, vete — me dijo —. Vete y dile a tu abuelo que te he dado una clase "especial"... No pienso cobrarla. No pienso cobrar nada..., ¿oyes?

Me marché a escape. Pero a mi abuelo no le dije nada, ni aquel día ni a los siguientes. Aunque el maestro me distinguía a mí de las "larvas de campesino", y me llevaba a su casa para leerme el Evangelio, o la Historia de España, poco a poco las gentes decían al vernos:

—Ese viejo usurero..., ¿es que no tiene corazón ni vergüenza?... Los pobres son más caritativos que los ricos. ¿No veis cómo va vestida la infeliz?... ¡Y él, el pobre don León, ocupándose de su educación gratuitamente!

Pero mi abuelo no se enteraba de nada.

Pocos días después, cuando el maestro había terminado su refrigerio de media mañana, me llamó para que devolviese el plato a su casa. Este cargo era muy codiciado en la escuela, puesto que daba motivo para entretenerse en el río precisamente a la hora en que las ranas se extendían confiadamente en las piedras de la orilla.

No sé por qué, en cuanto llegué a la calle se me ocurrió probar aquel residuo de caldo rojizo que había quedado en el fondo de la escudilla, por ver si era verdad que habían abusado de la pimienta. Estaba entretenida en esto cuando pasó el tendero y me vio.

—¿Qué haces, desgraciada?

Enrojecí y traté de esconder la cara; pero él se puso a gritar:

—¿Es que tienes hambre? ¿Acaso te hace padecer hambre también?

Y yo no respondí. Las mujeres que estaban lavando en el río lo oyeron y empezaron a trazar cruces sobre su frente y su pecho.

Cuando el maestro se enteró no desaprovechó la ocasión de pregonarlo por la aldea entera... Además de vestirme mal, mi abuelo me hacía pasar hambre.

Y yo bajaba la cabeza y no le desmentía. Porque el mal ya no era un mito para mí.

En tanto, el pobre abuelo continuaba amenazando al mundo a gritos, prestando dinero y tierras con aire de usurero, pero sin cobrarse jamás, perdiendo dinero y tratando de ganarse la fidelidad de los perros. No obstante, en mi alma había remordimientos y conciencia del mal. Me sabía culpable, y por las noches me cubría la cabeza con el embozo de la sábana, porque empecé a tener miedo del infierno.

Hasta que un día llegaron unos hombres a la aldea, conduciendo un anacrónico y destartalado camión. Pararon en la carretera, a la hora en que salíamos los muchachos de la escuela. Eran dos tipos jóvenes y rechonchos que merecían haber nacido hermanos. Llevaban monos azules y el cabello reluciente de petróleo.

—¡Atención, gentes de buena voluntad!—chillaron, en medio de la plaza.

Y tras una larga charlatanería sacaron de unas cajas, con mucha precaución, dos máquinas maravillosas: una, para hacer cine, y la otra, para hacer tallarines.

Aquel par de charlatanes sabía hacer las cosas bien. Se instalaron en la posada del pueblo, donde había una gran cuadra vacía que nadie utilizaba, y empezaron a hacer el reclamo. Poco después, un enjambre de mujeres acudía allí con harina, y ellos se la devolvían convertida en rollos de serpentina blanca y blandita. ¡Qué hermosa, qué hermosa y fascinante era aquella máquina!... Nunca había yo visto nada parecido, nunca. Ni siquiera podía compararse con los tesoros que había descubierto el día anterior en el osario del cementerio. Y sentí una dulce opresión en la garganta cuando uno de aquellos hombres me dijo:

—Anda, acércate si quieres y da unas cuantas vueltas a la manivela.

Debí de ruborizarme de placer. La máquina era reluciente, y la manivela giraba, giraba... La frente se me cubrió de sudor: y ¡cómo salían aquellas tiritas, con qué gracia se arrollaban debajo! Y a veces se atrancaba la manivela, y era preciso golpearla de un lado para otro... ¡En fin!...

Los del camión se reían mirándome. Parecían tener muy buen humor. Además, se presentaba bien el negocio.

—Bueno, basta ya—dijo uno.

—No, no... Un poco más, señor; un poquito más...,
por favor...

Y volvían a reírse: uno amasaba la pasta, otro la
preparaba. Yo daba vueltas a la manivela. Me debí de
portar muy bien, porque al cabo de un rato el brazo
me dolía y me pesaba como si fuese de plomo. Y tuve
que abandonar mi ocupación.

Pero tan triste me quedé que ellos me dijeron:

—Has sido tan buena, que esta tarde puedes venir
al cine gratis.

—Pero... ¿me reconocerán?..., ¿se acordarán de
mí?...

Y ellos se rieron como nunca, asegurando que mi
facha eran capaces de reconocerla desde Peñatesnu-
ques.

Fui, pues, al cine.

En la misma cuadra, a oscuras, con las puertas bien
atrancadas, se apiñaba toda la juventud del pueblo,
medio tumbada encima de los sacos vacíos que había
extendidos en el suelo. Sobre el muro encalado, la pro-
yección de una película rota y muda servía de pretexto
a aquella concentración animal. Se oían risitas ahoga-
das y alguno que otro resoplido.

Me senté junto a la máquina y observé cómo aquellos dos hombres se descostillaban de risa y cuchichea-
ban. Antes de encender la luz tocaban tres veces la
campanilla.

No comprendí nada de todo aquello, y me aburrí.
Además hacía mucho calor.

Estaba decidida a marcharme, cuando descubrí allí,
a mi lado mismo, la máquina de hacer tallarines. A la

débil claridad de la película, el codiciado tesoro azuleaba tentadoramente. Y pensé: "Me la llevaré conmigo, la esconderé debajo de la cama, y será mía y bien mía para siempre." Sentí una extraña emoción pensando que podría hacer girar su manivela cuantas veces quisiera, sin que nadie me lo impidiese. Y que durante todo el día, en la escuela, en la iglesia, en el huerto, habría una vocecilla escondida diciéndome continuamente: "Allí tienes la máquina, bien guardada debajo de la cama, para ti sola, para ti sola…" Nunca había deseado nada tanto. Por lo general, los juguetes no me llamaban la atención. Pero aquel artefacto parecía haber sido creado expresamente de acuerdo con mis apetencias.

Allí mismo había un saco vacío, de los muchos que hacían las veces de alfombra. Y con mucho sigilo y disimulo, mientras aquellos dos hombres estaban entretenidos, la metí en el saco y la arrastré tras de mí.

Deslizándome sin ruido, procuré subir la escalera con la esperanza de atravesar la vivienda de los posaderos y salir por la escalera trasera del huerto. Y había llegado ya a la escalera cuando me descubrió una de las nueras del dueño.

—¡Eh, tú!—me sujetó por un brazo—, ¿de dónde sales?

—De ahí abajo…, del cine…

—¡Cómo!… ¿De ahí abajo? ¿De esa pocilga indecente? ¿Qué tenías tú que hacer ahí abajo?

Entonces apareció tras la puerta la cabeza del maestro, que estaba jugando a la brisca con el hijo del posadero.

—¿Qué estoy oyendo?—aulló—, ¿qué estoy oyendo?

—Estaba abajo, en medio de toda esa indecencia —dijo la mujer—. ¡Vaya un espectáculo para una criatura! ¡Y vaya un modo de ocuparse de su nieta que tiene el viejo!... Yo soy pobre y estoy agobiada de trabajo, pero no verás que mis hijos se asomen a ese lugar... ¡Mentira parece!

—¿Sabe tu abuelo que has ido al cine?—preguntó el maestro.

—Sí..., sí lo sabe—mentí, atemorizada.

—¡Qué escándalo!

El maestro se levantó apresuradamente, entregó su pequeño a la mujer y me cogió de la mano.

—Guárdame un instante a este ángel—dijo con énfasis—. Y tú, pequeña, ven conmigo... Pero ¿qué llevas en ese saco? ¿Qué es eso que llevas ahí?

Se inclinó, abrió el saco y apareció la máquina de hacer tallarines. Aquello los dejó sin palabras.

—Pero... ¿por qué te llevabas eso?

—La he robado—confesé, llorando.

—Esto no es posible—dijo el maestro—. Esto no se le puede ocurrir a una niña.

Me arrastró de allí y me llevó a casa del párroco, que vivía al otro lado del puente. Recuerdo que había oscurecido y la luna brillaba dentro del río.

Llamó con prisa a la puerta, y el párroco acudió. Llevaba aún la sotana arremangada a la cintura, pues acababa de llegar de la aldea próxima, cuya parroquia también estaba a su cuidado, y era preciso hacer los ocho kilómetros en bicicleta. Tenía espesas cejas ne-

gras, que daban un aire amenazador a su fisonomía.
A mí me atemorizaba hasta el punto de no poder dejar
de temblar en su presencia, porque él era el encargado
de hablarnos, los domingos, del fuego eterno y del
pecado, removiendo mi alma como un huracán.

Nos hizo pasar, con el gesto malhumorado de siempre, y escuchó al maestro con las manos cruzadas sobre
el estómago y el ceño fruncido.

—Estaba allí, allí mismo, en plena inmoralidad...
¡Tal como lo oye!... Y el abuelo lo sabía, y le tiene sin
cuidado... ¿Cómo crece esta criatura? ¿En manos de
quién ha caído? ¿Se puede permitir esto?... Cada uno
tenemos nuestros propios hijos que cuidar y atender,
para además vigilar a esta pobrecilla... ¿Es esto admisi-
ble?... ¡Y para colmo instalarla al robo!... ¿Para qué va
a querer una niña una máquina de hacer tallarines?...
Alguien ha debido de inducirla.

—Bien, bien — interrumpió el párroco, visiblemen-
te fatigado por tanta palabra —. Así, pues, ¿estaba en
aquel lugar con el consentimiento de su abuelo?

—Cierto, como lo oye.

El párroco me miró.

—Las niñas — dijo lentamente — no deben acudir
a esos lugares..., ¿oyes?

—Sí.

—¿Es tu abuelo quien te dijo que robaras eso?

Tragué saliva y él repitió:

—¿Es tu abuelo?

—Sí — mentí, con voz débil. Y sabía que cometía
un gran pecado.

—¿Es que sólo sabes decir: "Sí"?

—No... .

—¡Hay que acabar con todo esto! —chilló el maestro de nuevo—. ¡Hay que salvar a este pobre pajarillo!

—Bueno, bueno—dijo el párroco—. No escandalicemos... ¿Para qué escandalizar?... Escribiré a sus padres para que se la lleven de aquí. Creo que el anciano chochea. No se hable más de esto, y devuelva usted esa máquina a sus dueños sin armar alboroto.

Y así lo hicieron.

IV

Lo que decía aquella carta nunca lo he sabido. Y mi abuelo ni siquiera se enteró de su existencia.

Pero tres días después llegó mi padre. Me cogió en brazos y yo oculté la cara en su cuello con una inmensa sensación de vergüenza y malestar.

Mi abuelo había bajado la escalera al oír el coche. Me pareció que la inesperada visita de mi padre le había emocionado, porque nunca había visto yo en él aquel gesto como intimidado. Incluso parecía como si fuese a olvidar la ausencia de los dientes y a sonreír.

Mi padre, en cambio, parecía nervioso y un poco impaciente. Le besó la mano y le preguntó por su salud. Pero en seguida le advirtió que no teníamos tiempo que perder y que nos íbamos.

—¿Os vais?—se extrañó el abuelo.

—Sí—dijo mi padre—. Ya está suficientemente castigada.

El abuelo se quedó allí mismo, sin avanzar un solo paso. Los perros le rodeaban ladrando a mi padre.

—¿Por qué?—preguntó.

Pero mi padre fingió no oír aquellas palabras.

—Quédate un día más...—insistió.

—No, no. Créeme que lo siento, padre. Pero no puede ser. Si acaso este verano ya le haré alguna visita.

Me ordenaron subir a vestirme, de prisa. No sé qué hablaron allá abajo ellos dos, en tanto. Pero cuando bajaba, ya dispuesta, el viejo Lobo, que había hecho apresuradamente mi equipaje, me dijo:

—Pícara condenada—y guiñó los ojos con malicia, ocultando su risa.

Noté cómo me ardían las mejillas de vergüenza.

Ni siquiera nos quedamos a comer. Y el abuelo continuaba allí, al pie de la escalera, entre la jauría que babeaba y daba bocados al aire. Mi padre besó de nuevo su mano. Pero yo no me atrevía a despedirme.

Y entonces, en aquel instante, me di cuenta de lo vacía que estaba aquella casa, de la triste vida que llevaba allí el abuelo. Y de qué solo estaba en medio de sus perros, que no le amaban, y de aquellos hombres que no entendían ni sabían nada de su corazón. Pensé en lo que hubiera podido ser yo para él, y recordé a los muchachos que cantaban debajo de sus balcones burlándose de su vejez. Y también la voz del maestro que clamaba: "¿Es justo? ¿Es justo?..."

La mano del abuelo se quedó extendida aún, tontamente, mientras decía:

—Pero, hombre, quédate aunque sea...

Luego la dejó caer sobre la cabeza de uno de los perros, simulando una caricia. Y el animal gruñó, desagradecido.

Nunca más le he vuelto a ver. Y, caso curioso, desde aquel día todo el mundo estuvo conforme en admitir que yo era una niña buena. Todo el mundo, menos yo.

«FAUSTO»

Para mi hermanita María Pilar.

La niña tenía nueve años y coleccionaba pedacitos de espejo roto. Iba buscando siempre entre los desperdicios y las hierbas de los solares, y en cuanto algo brillaba lo cogía y lo guardaba en aquel bolsillo con visera y botón que llevaba a un lado del vestido. Alguna vez se cortaba los dedos, pero no lloraba nunca, y volvía a su tarea.

Estaba siempre muy ocupada buscando estrellas caídas: cascotes verdes de botella, pedacitos de hojalata, alfileres. El hombre sin piernas que vendía piedras para mechero y cigarrillos sueltos lo sabía, y por eso a veces le guardaba el papel de plata que forraba el interior de las cajetillas. Luego, la niña pegaba todo aquello en la pared de su barraca, al lado de la ventana. Así, al llegar la noche, cuando encendían luz en la taberna de enfrente, toda su colección se ponía a chispear con tantas tonalidades que la niña creyó conocer más colores que nadie.

La niña tenía el cuerpo flaco, con las piernas y los brazos llenos de arañazos. Iba despeinada, pero con una cinta roja alrededor de la cabeza. Tenía un solo par de zapatos, demasiado grandes, y, a veces, al correr, perdía uno. Vivía con el abuelo, en una sola habitación con un hornillo, la ventana y los jergones para dormir.

El abuelo, amarillo y rugoso como un limón exprimido, siempre estaba protestando por aquellos cascotes brillantes que ella traía a casa, y decía que iba a tirarlos de nuevo al solar. Pero, alguna vez, cuando era ya oscuro y les llegaba el resplandor de la taberna encendida, se quedaba mirándolos. Seguramente pensaba que eran preciosos.

Ahora, hacía muchos días que el viejo estaba enfermo, con un catarro muy fuerte, sin poder salir a la calle. No podían ir con el organillo, y se pasaban las horas lamentándose de su mala suerte.

Todos los de la calle tenían lástima de ellos. Pero cada uno tenía sus preocupaciones, y hasta sus enfermos. Aun así, algunos días, una mujer que vivía allí al lado entraba y les barría el suelo o les encendía el hornillo. Era buena, aunque gritara demasiado y dijera que no comprendía aquella colección de vidrios y papeles pegada a la pared. "¡Cuánta basura!", decía.

Una vez llegaron tres señoras de parte de San Antonio, y les dieron cincuenta pesetas y un frasco de jarabe para la tos. Una de ellas se fijó en los tesoros de la niña y creyó que eran para adornar las paredes, tan desnudas. Al día siguiente les enviaron un crucifijo para que presidiera su jergón. Allí se quedó la cruz, en la pared, frente a todos los chispazos de espejo roto. A la niña la inquietaba mucho, sobre todo cuando se bebía a escondidas el jarabe del abuelo, que sabía a menta y era dulcecito. También alguna mosca trepaba pared arriba, medio atontada de frío, porque estaban en el mes de enero.

Una mañana en que la niña iba buscando estrellas, como siempre, vio dos cachitos que relumbraban junto a la tapia del solar. Eran los ojos de un gato, como espejos partidos. Se trataba de un gato muy feo y muy flaco, que se puso a mayar como un recién nacido. La niña se agachó y vio que estaba herido en una pata. Seguramente era una pedrada, y se había quedado cojo. Tenía la piel rojiza y apolillada, y temblaba mucho. La niña lo cogió y se lo llevó debajo del brazo.

El abuelo, al verlo, se enfadó mucho.

—¡Fuera con eso! —dijo, como siempre que ella traía algo nuevo.

La niña buscó una maderita y entablilló cuidadosamente la pata del gato. Le puso vinagre en la herida y le hizo cosquillas en el cogote. Luego pensó ponerle un nombre.

Recordó que a veces pasaba frente a una casa muy grande que había tres manzanas más arriba. Ella solía acercarse despacio a los barrotes de la verja. Saltaba al jardín y trepaba a una de las ventanas bajas para poder mirar el interior de las habitaciones. Eso la llenaba de admiración, como cuando llegaba la luz de la taberna hasta sus estrellas falsas. Pero no podía lograr nunca su propósito con tranquilidad, porque había un perro enorme, llamado *Fausto*, que venía corriendo y ladrando de tal modo que ella debía salir huyendo si no quería ver sangrar sus tobillos. Acordándose de aquel enemigo, se le ocurrió bautizar al gato con el mismo nombre.

—Te llamarás *Fausto*, gatito —le dijo. Y sin sa-

ber por qué, se sentía confusamente vengada de tanto
ladrido y persecución. ¡Si ella sólo quería mirar, si sólo
quería que le llegaran los resplandores ajenos hasta sus
trocitos de vidrio roto! Nadie lo comprendería nunca,
como nadie comprendía su cariño hacia *Fausto*, tan
feo y tan poca cosa.

Desde aquel día el gato no se separó de la niña.
Ella lo llevaba siempre, enfermizo y tristón, bajo su
brazo. Lo cuidaba mucho, y además le buscaba de comer. El gato solía temblar. A veces, parecía que tosía.

Con el invierno, los días se hacían más duros. El
viejo empezó a odiar a *Fausto* y a decir que en cuanto
pudiera levantarse lo mataría. Los maullidos de *Fausto* le traían loco.

—¡Es que hay que fastidiarse! —decía el buen
hombre, con voz afónica—. Otros animales andan de
allá para acá buscándose su comida, y uno puede tener-
los. ¡Pero *eso*! ¡*Eso* es lo más inútil y zángano que he
visto! No se atreve a nada, y, como tú lo tienes tan mal
acostumbrado que le traes los bocados a la boca y lo
llevas siempre en brazos, está hecho un enteco.

Apretándolo bajo su brazo, la niña lo miraba com-
pasivamente. No era un animal vulgar, no era como
los otros. Siempre tenía frío y había sido arrojado a un
mundo más fuerte que él. ¿Qué culpa tenía de haber
nacido demasiado débil? ¿Qué culpa de haber nacido?

—La verdad es que es asqueroso —dijo aquella
buena mujer vecina, cuando entró a ayudarles—. Tiene el pellejo hecho una criba y se le cuentan las costillas. Yo creo que está tísico.

—¡Anda, tísico! — dijo la niña—. ¡Como si fuera un hombre!

Una mañana, al fin, el abuelo se levantó carraspeando y salieron otra vez a alquilar el organillo.

Echaron a andar por aquellas calles estrechas y un poco azules, donde el aire estaba lleno de humo de fritos. El abuelo iba renegando por el gato.

—¡Échalo, échalo! — iba diciendo—. No has de volver a casa con él, así que tú verás...

—Pues no — murmuraba la niña entre dientes, con dolor—. Es tan bueno como tú o como yo.

Iban muy despacio. El abuelo se había quedado muy débil y empujaba el organillo con dificultad. Eso era malo. "El negocio está en ir muy rápido", decía el viejo. A ese paso, ni siquiera amortizarían el alquiler del organillo. Se paraban en una esquina y el viejo, con la colilla del cigarrillo en la boca, empezaba a dar vueltas a la manivela. La gente pasaba con prisa, indiferente. Un sol pálido empezaba a calarlos.

—Anda y suelta a ese bicho — advirtió el viejo, amenazador.

La niña comprendió, al fin, que *Fausto* había perdido la partida. Lo acarició con melancolía y lo dejó en el suelo. Luego, corrió a la otra acera, pasando su platillo de aluminio con una súplica aprendida, sin mirar atrás.

Ahora, tocaban una musiquilla que todo el mundo sabía y a casi nadie gustaba. La niña tenía ganas de llorar y también de llenarse la boca de azúcar. Iba pensando: "Llenarme la boca de cuadraditos de azúcar blanco y duro, muchos cuadraditos de azúcar blan-

co. Y mascar, mascar. Que haga por dentro ruido, así:
cru, cru, cru. Y hasta parecer que se llenan de azúcar
las orejas." Un suspiro hondo le llenó el pecho. Alguien le dio unos céntimos, y empezó a hacer ruido
con ellos.

Después, se alejaron de allí. Empujaba el abuelo
el organillo hacia otra calle, todo lo de prisa que podía.
La niña le siguió. Ya no hubiera habido en el mundo
azúcar suficiente para ella. No pudo remediarlo: miró
hacia atrás.

Allí venía *Fausto*. La seguía, naturalmente. La niña empezó a hacer más ruido, más fuerte, con el platillo y los céntimos. Los ojos de *Fausto* eran dos caramelos de menta. "Si no se da cuenta el abuelo, *Fausto*
vendrá, vendrá." De pronto se acordó de que los gatos
no se pierden nunca. Tuvo unas ganas grandes de
reírse y de saltar, pero no lo hizo. La niña sabía que
no es bueno hacer grandes demostraciones, excepto durante el trabajo.

Ahora se habían parado otra vez. Las orejas del
abuelo, grandes y transparentes, aparecían por encima de la bufanda. Las notas que agujereaban el espacio eran estridentes, feas. Sin querer, le suspendían a
uno la respiración. La niña se mordió los dedos. Acababa de sentir en sus piernas el roce suave de *Fausto*.
Miró tímidamente al suelo: *Fausto,* temblando, mayaba
débilmente. Lo apartó con el pie, pero el gato no se
alejaba. Entonces, con sigilo, ella sacó el pie del zapato.
Fausto empezó a juguetear con los cordones. La niña
se apartó de él.

El abuelo ya enfilaba hacia otra calle. El sol doraba ahora el borde de la acera. Entraron en una calle estrecha. El viejo sopló en sus nudillos y empezó a tocar.

No se había dado cuenta de que allí había un hombre con un acordeón. Era un cojo, joven, con las cejas juntas. Le gritó que se callara, que estaba él primero allí. El viejo, que se había quedado algo sordo con el último catarro, no le oía o no le quería oír. Entonces, el del acordeón se acercó, jurando. Era alto y robusto. La niña se quedó quieta, mirándole.

El viejo y el del acordeón se pelearon.

—La calle es de todos—defendía el viejo. Los pies le dolían, y aún tenía las piernas débiles y temblorosas. Quizás aún tenía fiebre, no se sentía fuerte, y encima venían a echarle de allí, como a un perro.

Pero lo cierto es que el del acordeón había llegado primero. Estaba ya allí cuando el abuelo entró en la calle con su organillo destemplado y chillón. Tenía razón el cojo.

El abuelo no tuvo más remedio que empujar el organillo hacia otro lugar. De pronto empezaron a caerle lágrimas por la nariz. Era ya muy viejo, muchísimo, pensó la niña. La calle no era de todos, la calle no era de nadie, se dijo. Sintió de nuevo grandes deseos de comer azúcar, tanto azúcar que no pudiera respirar.

De pronto el abuelo se sonó con fuerza y se volvió hacia ella:

—¿Por qué andas coja?

La niña se miró los pies. Sólo tenía un zapato.

—¿Dónde está el otro?

Ella se encogió de hombros. Pero al abuelo le parecía muy importante encontrarlo. A veces se ponía tozudo como un borracho o un niño pequeño. Volvieron atrás, buscándolo.

En la esquina aún estaba *Fausto,* frotándose contra el zapato y mayando suavemente.

Entonces el viejo tuvo un arranque de rabia. Se acercó al gato y le dio una soberbia patada. La niña se tapó los oídos, pero los ojos no los pudo cerrar aunque quisiera, y vio cómo *Fausto* iba a parar muy lejos.

"Lo ha matado", pensó la niña. Se alejaron de prisa. La niña le ayudaba ahora a empujar el organillo, con todas sus fuerzas. Ni siquiera lloraba.

Pero el viejo estaba nervioso, destrozado. De repente se paró, y empezó a gritar diciendo que ya era muy viejo, que ya no podía más. "¡No puedo con esa música, no puedo con ella!", decía. Y se tapaba las orejas con las manos.

Luego se calmó. Se quedó quieto, respirando suave. Miró a la niña y dijo:

—Anda, vamos a entrar aquí.

Era una taberna muy pequeña, con los cristales empañados y llenos de letras rojas y blancas. En el mostrador había bocadillos resecos y el grifo de la pila goteaba: tic, tic, tic.

La luz, muy amarilla, estaba ya encendida, porque el sol iba escondiéndose detrás de las nubes y la calle se quedaba a oscuras.

Se sentaron a una mesa. El abuelo pidió un porrón de vino. Todos en la taberna hablaban a un tiempo. El viejo compró pan y queso, y la niña lo comió de prisa, hasta que sus mejillas ardieron. Luego, la niña apoyó la

cara en la mesa. Era un velador de mármol agrietado,
y le helaba la piel. ¡Qué pena tenía por *Fausto*! Pero,
ya, aquella pena se estaba confundiendo con una rabia
cosquilleante. En aquel momento la puerta chirrió, y
entró el cojo del acordeón. Allí parecían conocerle todos. Él los vio y se acercó a su mesa.

—Hola, abuelo — dijo. Tenía la voz más amable.
El viejo no le respondió y echó un buen trago.

El hombre cojo acercó una silla y se sentó a su
lado. Sacó tabaco y le ofreció. Entonces el abuelo se
frotó la nuca, aceptó y se pusieron a liar sus pitillos en
silencio.

El cojo arrancó a hablar, en un tono casi bajo, de-
ferente. La niña levantó la cabeza y escuchó:

—Yo no tengo nada contra usted, abuelo — decía
el del acordeón—. Pero a cada uno lo que es de uno.
Yo estaba allí primero. Donde esté yo, no puede haber
otro al mismo tiempo, ¿no?, ¿no es cierto? Ahora, fuera
de allí, pues tan amigos, ¿estamos? .

El viejo asintió con la cabeza. Luego balbuceó:

—Es que soy algo duro de oído y no hace mucho
que voy con el organillo. Porque es que, ¿sabe usted?,
antes, cuando vivía mi hija, la madre de esta pequeña...

El del acordeón le atajó, sacudiendo las manos en
el aire, como si dijera: "No sigas, no sigas: conozco la
historia." Y empezó a dar consejos: iban demasiado lentos. Si pudieran correr un poco más, y abarcar más re-
corridos... Incluso sacó un trocito de lápiz y, en el mismo mármol, empezó a dibujar un plano de calles con
el itinerario que debía seguir.

Alguien empujó un vaso, que se hizo añicos contra

el suelo. La niña saltó de la silla y se puso a recoger los vidrios rotos. "¡Chiquita, que te vas a cortar!", le dijeron. Pero ella no hizo caso. El abuelo y el hombre del acordeón estaban enfrascados en sus planos y no la miraban. Cuidadosamente, ella colocó los pedazos de vidrio en su bolsillo, mientras el recuerdo de *Fausto* la calaba tanto, tanto, que un ahogo irremediable le oprimía la garganta.

—"¿Y si no está muerto? —pensaba—. ¿Y si no está muerto? ¡Pobre *Fausto*!"

Seguramente no sabría qué hacer, abandonado, solo, sin fuerzas para vivir. Volvió a tener ganas de llorar.

De nuevo, un hombre entró en la taberna, con una bocanada de frío. Sin pensarlo más, la niña se escurrió afuera por la puerta abierta.

Pasó una calle, otra y otra. Allí, en aquella esquina había sido.

Efectivamente: *Fausto* estaba allí, pegado contra la pared y mirando tristemente. La niña se agachó hacia él, lo cogió en brazos y, juntos, vagaron. Iba ahora dominada por una honda amargura. una precoz amargura que se le endurecía y enconaba en el corazón. Iba andando muy pegada a la pared.

Entonces les llegó a la nariz un aroma caliente, casi palpable. Se acercó despacio. Procedía de unas ventanas bajas, y se asomaron. Eran las grandes cocinas de un colegio. La niña miró a través de los barrotes de las ventanas. *Fausto* también miraba. Todo parecía como desdibujado en una atmósfera de humo y hervores. ¡Qué grato calorcito había allí dentro! Les llegaba aroma a pan, a otras mil cosas confortablemente cotidianas, pero extraordinarias para ellos dos. El vaho tibio y dorado les hacía cerrar los ojos. El suelo de la cocina parecía un gigantesco tablero de ajedrez. Había grandes cacharros de aluminio, que parecían hervir muy enfadados. Veían los pies de las criadas, sus zapatos negros y el borde de sus amplias faldas azules. La niña acarició el cuello de *Fausto* distraídamente. En las mesas de mármol había cosas apetitosas para *Fausto*, y al alcance de *Fausto*.

De pronto, la niña se agachó al oído de *Fausto*:

—Anda, hombre—le dijo—. Entra ahí. Yo no puedo ir siempre ayudándote. Tú tienes que aprender a ir solo.

Fausto mayó débilmente, y entonces ella se puso furiosa. Lo dejó bruscamente en el antepecho, pegándole las narices a los barrotes.

—¡Maldito holgazán!—le dijo—. ¡Ya te enseñaré yo! ¿Crees que voy a vivir siempre para ir ayudándote? ¡Pues no, pues no! ¡Entra ahí y búscate comida!

Pero *Fausto* bostezó largamente, encorvó el lomo y después se golpeó el hocico con la zarpa.

—Mira—dijo la niña—. Mira ése... ¿Por qué no haces como él, como todos?

Dentro de la cocina, debajo de una silla, dormitaba un gato grande y negro, reluciente. Era un gato bien alimentado y, a todas luces, honrado. Ninguna criada lo echaba de la cocina. El gato cumplía su cometido, con seguridad, y por eso se le admitía y toleraba.

La niña empujó a *Fausto*.

—Entra ahí—le dijo—. Entra y aprende de ése. Lo empujó de tal modo que al fin *Fausto* cayó dentro. La niña se tapó los ojos. Luego volvió a mirar, despacito.

Lenta, sigilosamente, *Fausto* se acercaba a un plato que había en un rincón, con el residuo de la comida del gran gato. El corazón de la niña se puso a golpear de alegría.

De nuevo, todo se derrumbó. El gato grande, despertándose, dio un fuerte bufido y se abalanzó sobre *Fausto*. ¡Ah, malvado egoísta! En el plato sobraba comida, pero no quería ceder a nadie ni una migaja de lo ganado por él. La niña vio cómo *Fausto* huía, corriendo desesperadamente en busca de la puerta. Iba lleno de terror. Pero la niña se dio cuenta de que el gato grande no iba a hacerle daño. Sólo le echaba a zarpazos y rugidos. Eran como el abuelo y el cojo, poco más o menos.

Aplastándose contra el suelo, *Fausto* salió al fin por debajo de la puerta. La niña dio la vuelta a la esquina de la casa, buscando aquella salida.

Fausto salió como llorando. Había surgido el sol de tras las nubes y, pálidamente, alumbró su piel, que aparecía apolillada y casi muerta.

Allí había un solar. La niña se sentó junto a la tapia. Empezó a juguetear con la tierra. Tímidamente, *Fausto* se acercó, como si ya comprendiera que las cosas habían cambiado. No mayaba para que lo cogieran en brazos. Se arrebujó a un lado y sus párpados empezaron a temblar bajo los rayos leves, tibios.

Así estuvieron un rato. Al fin la puerta de la cocina giró lentamente, y el gran gato honrado y trabajador salió también. Iba igualmente a solazarse, apro-

vechando los raros rayos invernales. Se sentó, un poco
apartado, con la cola enroscada en torno, atusando sus
bigotes con envidiable negligencia. Todo él parecía
despedir un hálito de reconfortante bienestar, de vida
asegurada. "Debería fumar un puro, como don Paco",
pensó la niña. Todo él recordaba a don Paco, el dueño
del almacén, cuando después de comer salía de su casa,
colorado y con los ojos chiquitines, a tomar café en el
bar de la esquina.

De pronto, el gato grande miró a *Fausto*. A la niña
le pareció descubrir en su mirada la misma expresión
que cuando don Paco le regalaba a ella los terrones de
azúcar. Largo rato, muy largo rato, el gato negro miró
a *Fausto*. Y de repente la niña recordó la voz del cojo:
"Hola, abuelo... Yo no tengo nada contra usted, pero
yo estaba allí primero. Donde yo esté, no puede haber
otro al mismo tiempo." Era justo. La niña empezó a
comprenderlo así. Ahora, casi lloraría de rabia. "¡Claro está! —pensó—. Él caza ratas en la despensa, y a
cambio de eso le alimentan y le quieren."

Sintió entonces que debía dar a *Fausto* su última
oportunidad. Recordó que allí cerca había una vieja
capilla. A veces el sacerdote le había dado una estampa: se acordaba. Ella oyó una vez que en la sacristía
había muchas ratas. Unas ratas grandes y repugnantes
que se comían la cera de las velas.

Con gesto rápido volvió a tomar a *Fausto* en brazos y echó a correr.

Cuando encontró la capilla se dio cuenta de cuánto había corrido. Notaba como si le clavasen alfileres

en las piernas, y apenas podía hablar. Dentro, todo estaba oscuro.

De puntillas, fue a la sacristía. El sacerdote estaba allí, de espaldas, buscando algo en el cajón. Se le acercó.

—¿Qué quieres, niña? —le dijo.

Ella entonces se explicó como pudo. Al principio él no la entendía, y creía que iba a venderle a *Fausto*.

—No, no —le dijo—. Tengo ya dos gatos. Una pareja muy bonita, y mucho mejor que ese tuyo.

—Pero no: si es que yo se lo doy, se lo regalo, para que lo tenga, para que cace ratones y usted, a cambio, le dé de comer.

El cura se quedó pensativo. Luego sonrió débilmente. Era un hombre delgado y pálido, con una mancha como una fresa en la mejilla.

—Bueno —le dijo—, déjalo.

Le dio la mano para que se la besase. La niña dejó a *Fausto* en el suelo y cerró la puerta de prisa, para que no pudiera seguirla. Volvió a salir y a cruzar la nave, de puntillas. Al llegar a la calle echó a correr como si la persiguiese una jauría.

No quería volver con el abuelo. La regañaría. Esperaría que se hiciera de noche, para volver a la barraca y acostarse. Estaba muy cansada. Tenía un gran peso en el pecho y un gran vacío en el estómago. Se fue al solar, se tendió junto a la tapia y cerró los ojos, encogiéndose dentro del vestido. Las mangas le venían un poco cortas, y se apretaba las muñecas con los dedos.

Cuando despertó, ya hacía frío y no quedaba ni un

pedacito de sol en el suelo. Se frotó los brazos y golpeó con los pies la tierra.

Súbitamente, la hirió el recuerdo de *Fausto*.

"Ya es como todos, como todos", pensó. Y empezó a vagar despacio, con melancolía.

Sin saber cómo, sin querer, se encontró de nuevo frente a la capilla. Sin pensarlo, entró y buscó al sacerdote.

No estaba. En cambio, en la sacristía, había un hombrecito muy feo, raspando la cera pegada a los candelabros.

—¿Qué quieres? —le dijo.

Ella explicó:

—He traído un gatito rojo para cazar ratas, ¿puedo verlo?

Los dos hablaban en voz muy baja.

—¡Ah, ya! —dijo el hombre—. ¿Conque es tuyo el bicho? ¡Vaya gran cosa! ¿Sabes cómo lo encontré? Jugaba con un ratón. Tenía un ratón subido al lomo y jugaba con él.

Fausto asomó entonces por debajo de una silla su cara triste y resignada. La niña lo miró en silencio, fijamente. El hombre añadió:

—Lo mejor que puedes hacer es ahogarlo. No sirve para maldita la cosa. Ni siquiera es bonito. Mátalo, y dejará de sufrir, porque está muy enfermo.

—No —empezó a decir ella. Pero luego bajó la cabeza en silencio.

—¿Pues qué quieres? Llévatelo de aquí. Si no, yo lo mataré.

La niña no se movía. Una fina arruga aparecía

entre sus cejas, y apretaba los labios. Su boca era una
rayita blanca. Miraba a *Fausto*. Luego dio media vuelta. *Fausto* la seguía con la cabeza baja.

Cuando cruzaron la nave, alguien entró en la capilla, y una ráfaga de viento se coló por la puerta, haciendo temblar las llamas de las velas.

Afuera, la niña se sentó en el bordillo de la acera. *Fausto* se echó a sus pies.

La niña se quitó la cinta del pelo y se la puso al
gato alrededor del cuello. Se levantó, se apartó un poco
y lo miró con ojos críticos:

—No. Ni siquiera eres bonito. Nadie te com-
prará.

Fausto, de pronto, había dejado de temblar. Sus
ojos brillaban, brillaban. Pero ya no parecían estrellas.
Ningún cascote de botella parece un lucero. Sólo brillaban en el cielo, y muy lejos, demasiado lejos. Y, tal
vez — ya estaba ella casi segura de eso —, al mirarlas
de cerca, las estrellas también deben de resultar muy
diferentes.

La niña cogió a *Fausto* por las patas de atrás y le
golpeó la cabeza contra el bordillo de la acera. *Fausto*
tosió por última vez. Y, ésta, sí que parecía un hombre.

Lo dejó cuidadosamente tendido en el charquito
rojo, que, poco a poco, se agrandaba bajo su cabeza
rota. Los ojos de *Fausto* se apagaron.

La niña volvió a la barraca. El abuelo ya había vuelto y estaba contando el dinero. La niña le miró desde
la puerta.

—Entra ya, vagabunda — dijo él. Tosía. Volvía a
toser.

La niña obedeció, aunque sin dejar de mirarle muy fijo. Al fin le preguntó:

—¿Han salido las cuentas, abuelo?

—No... ¡No y no! ¿Quieres saberlo, verdad? ¡Pues no he sacado ni la mitad del alquiler, conque...!

La niña se quitó el vestido y los zapatos. El pelo, libre ya de la cinta, le caía ahora por la frente y se le metía en los ojos. Se echó en el jergón y se tapó con la manta. La luz de la taberna de enfrente brillaba. Alguien, dentro, estaba cantando, dando voces. En la calle resonaban las pisadas de los que iban y de los que venían. La niña miraba al techo, que estaba oscuro y demasiado cerca. Pensaba que también ellos debían de tener una lámpara.

—Abuelo—dijo de pronto—, he matado a *Fausto*. No servía para nada.

El viejo levantó la cabeza y abrió la boca. Un extraño miedo llegó hasta él. Un miedo como viento, como temblar de cirios, como voces sin eco. Sus huesos se hacían rígidos, inmóviles. Tenía la piel como la de un muerto. La niña prosiguió, con su vocecita clara y fría:

—Abuelo, apuesto algo a que te vas a morir muy pronto...

Bostezaba y daba la vuelta hacia la pared. Casi lo decía en sueños. Quizá ni siquiera lo había dicho. Uno de los brazos de la niña, flaco y tostado, brillaba suavemente, como los cascotes de la pared.

Bruscamente, el viejo empezó a llorar. En los dos puños apretaba fuertemente toda la calderilla que estaba contando. Buscó con la mirada aquella cruz que estaba quieta, muda en la pared. Y estalló en un hervidero de lamentaciones y de lágrimas por el pobre *Fausto*.

Pero la niña se dormía ya. La gente de la taberna bebía, voceaba. Muchas pisadas iban y venían por la calle. Y nadie le oía ni le hacía caso.

EL AMIGO

Eℒ espejo era ovalado, con un marco de madera negra, brillante. Se tenía que subir a la banqueta para mirarse. Lo hacía a menudo, a pesar de que luego se quedaba con el corazón pequeño, apretado. El espejo era de la tía Eulalia, como todo lo de la habitación: la cama con columnillas, la cómoda con asas de bronce, la butaquita y la banqueta enguatadas. Toda aquella madera negra olía a la tía Eulalia; su aroma lo llevaba ella pegado en las faldas, en las manos, en el pelo negro y brillante atado encima de la nuca con un nudo grande, como un ovillo. La tía Eulalia era para él como la madre para los otros chicos. También el retrato de su madre lo tenía la tía Eulalia encima de la cómoda, al lado de la urnita con el santo lleno de pupas, las flores artificiales, la caja del dinero y el misal. Su madre era aquella señora que se reía en el retrato, recortada de alguien que tenía al lado. La tía Eulalia decía, cuando la enseñaba a sus amigas: "La pobre no se retrató nunca; ella era así…" Y tenían aquella fotografía, como arrancada, como desgajada, que la dejaba con un gesto desamparado. A él no le gustaba aquella fotografía. Y de su madre, de su madre *de verdad,* no se acordaba nada, absolutamente nada.

La criada andaba limpiando la habitación. La ventana estaba abierta y brillaba el sol. Empezaba la primavera, pero aún hacía frío. La tía Eulalia no le dejaba salir a la calle sin la gorra de punto. Otra vez el corazón le dio el tirón aquel, por dentro. A veces le gustaría poder escucharse el corazón, coger la cabeza entre las manos y acercarla para oír: tap, tap, tap. A lo mejor, parecería su amigo mismo. Su amigo. No tenía amigos. Era imposible tener amigos.

Ya sabía que no debía hacerlo, pero se subió a la banqueta. La voz áspera de la criada gritó: "¡Baja de ahí! ¡A ver si te esnucas, y luego los chillos serán pa mí!" Se le quedó mirando con el trapo del polvo en la mano, en jarras los brazos. Él ya sabía lo que pensaba: "Está gordo." El corazón le apretó más. "Todos, siempre igual: está gordo este niño, está gordo. ¿Por qué no lo llevan al médico? Al primo Manolín le pusieron a régimen y en tres meses adelgazó ocho kilos. A este niño le conviene ejercicio; está gordo, está gordo. Oiga, doña Eulalia: este niño está demasiado gordo." Se miró a la cara, redonda, con los carrillos colgantes. Pálido. Siempre estaba pálido. Se llevó las manos a la cara. Y también las manos eran como dos montoncitos de carne, como dos manzanas con manzanitas adheridas. La tía Eulalia sonreía y decía: "La gordura es hermosura." La tía Eulalia siempre decía cosas así. La tía Eulalia era alta, era fuerte, era madrugadora, era trabajadora, era severa, era cumplidora, era exigente, era soltera, era limpia, era sabia, era honrada, era fuerte. La tía Eulalia era horrible. La tía Eulalia ponía gorras de punto, no le dejaba tocar barro, ni las piedras, no le dejaba hablar con los chicos de aquel barrio, ordinarios, groseros, mal hablados y ladrones. "Los chicos..." Se bajó de la banqueta, torpe, triste. Se asomó a la ventana. "Los chicos..."

Los chicos son delgados, tienen la piel curtida por el sol. Los chicos venden cosas. Los chicos gritan, tiran piedras, silban, ríen. Los chicos tienen bocas oscuras y pequeñas, tremendas bocas que dicen: "¡Ahí va el gordo! ¡Ahí va el marrano de la tienda!" Los chicos...

De pronto se le llenaron los ojos de lágrimas. "Me duele este dedo. Lloro porque me duele este dedo. Ayer me lo pillé con el cajón." Se miró el dedo, limpio, rosado. "Gordo, regordo, barril de cerveza." Se había pillado el dedo con el cajón; curioseaba las postales de tía Eulalia y oyó sus pasos por el pasillo. Le dolía, y cuando duele una cosa se llora. "Barrigón, globo reventón."

Abajo, la calle estaba partida por el sol y la sombra. La mitad dorada, la mitad de un azul fresco mañanero. A lo largo de la calle se alineaban los carros y los puestecitos del mercadillo. Aún era temprano. A las doce recogían todo, de prisa, y se iban. Mirarlo era divertido. Parecía mentira cómo desaparecía todo de repente. Recogían los puestos, los carritos, hablaban unos con otros, discutían. Y los chicos también. Los chicos de su edad ayudaban a sus padres, recogían los cajones llenos de naranjas, de cebollas, de verduras... Y también iban con cinco limones en las manos, o cuatro alcachofas, y decían: "Señora, señora, todas por tres pesetas..." Él lo oía, él lo veía todo, desde arriba, en la ventana del cuarto de la tía Eulalia. ¡Qué extraño y

qué fascinante todo aquello! ¡Qué lejano! En cambio
él, siempre allí metido, en el piso, en la ventana. Ni al
colegio le dejaban ir, porque en aquel barrio los cole-
gios eran modestos y ordinarios. El año que viene le
enviarían interno a un pensionado de Lecaroz. Eso
decía la tía Eulalia. ¿Y en Lecaroz, los chicos serían
también como allá abajo? "Barrigón, globo reventón..."
Y hasta entonces el piso, la ventana del cuarto de tía
Eulalia, sobre el mercadillo. Y la tienda. La tienda.

A la tienda se bajaba desde el piso, por una escalera de caracol. La escalera era de madera con el pasa-
manos de metal. La tía Eulalia quería tenerla siempre
muy brillante, y las criadas protestaban. Pasaban muchas criadas por el piso y al fin se marchaban todas, con
sus baúles o sus maletas atadas con una cuerda, con
sus cabellos prietamente rizados, dando un gran por-
tazo. Luego venía otra, y otra... La tía Eulalia decía
que las criadas eran algo imposible. Él no entendía qué
quería decir eso.

La tienda era cuadrada, oscura. Tenía una puerta
de cristal alta y estrecha, con el tirador de latón. A los
lados de la puerta, dos pequeños escaparates, llenos de
cosas. Relojes, cajitas de filigrana, espejillos, sortijas con
aguamarinas, alianzas, cortapapeles de marfil, abani-
cos, rosarios, pastorcillos de porcelana... Dentro, estanterías, estanterías, estanterías. Todas las estanterías llenas de paquetes, envueltos en papel de embalar gris,
color de polvo. Toda la tienda olía a polvo, con su gran
reloj de hierro, su estufa, sus mostradores brillantes
por el roce. Y allí detrás del escritorio, con vidrios es-
merilados, la bombilla con pantalla de porcelana verde.

Y papá. "Papá." Sonrió, se apartó de la ventana y echó
a correr. Bajó la escalera. Papá estaba de espaldas ahora. No se podía confundir a papá con nadie en el mundo. Mientras estaba en la tienda papá era un señor de
espaldas, sentado en el escritorio, con sus manguitos
de tela verde, sus libros de cuentas y su pluma. O su
cara de madera, detrás del mostrador, unos ojos fijos,
unos labios delgados. Unas manos duras que palpa-
ban un abrigo, sábanas, un reloj... Y una voz, que decía: "No puedo darle por esto más de cincuenta pesetas...".

En la tienda había entrado ahora una mujer. Llevaba a un chico de una mano y un bulto atado con
un pañuelo de hierbas, en la otra. El chico era más
pequeño que él. La mujer abrió encima del mostrador
su gran pañuelo de hierbas. Empezó a sacar ropa de
niño. Ropa de lana. Él se apartó, porque a papá no le
gustaba que le mirase. Detrás del cristal de la puerta,
en la calle, el sol brillaba más. Casi se podían oír los
gritos de los vencejos, porque empezaba la primavera. Claro, la primavera. Ahora vendrían todos con sus
ropas de invierno a la tienda de papá. El niño aquel,
agachado, hacía correr sobre el suelo un cochecito de
hojalata. El ruido sobre los ladrillos daba dentera. El
niño aquel llevaba un jersey verde, muy viejo, y pan-
talones grises, apiezados, y alpargatas sucias, con calcetines de color marrón. El niño era pequeño: apenas
tendría seis años. Estaba muy delgado y el jersey se
le apretaba al pecho, a sus axilas, clareando en los
codos. El niño abultaba los labios y fingía el ruido de
un motor. Él se acercó a mirarle. "Éste es pequeño,

no se atreverá conmigo. Además, está en la tienda de
papá." El niño levantó los ojos y dejó de hacer ruido.
Sus ojos le resbalaron indiferentes, como dos pardas
mariposillas. Luego el niño siguió jugando, haciendo:
"Tu, tu, tu... brrbrrbrrbrr", con la boca. Papá dijo:
"No puedo darle más. La ropa de niño no se valora;
además, el abrigo tiene una buena mancha...". La mujer contesta algo. Decía lo de siempre. Todas las mujeres decían siempre lo mismo, en un tono más bajo que
papá. Y los hombres también. En la tienda la gente
venía siempre a pedir cosas y papá era el jefe de todos. Papá mandaba más que nadie. Y le obedecían.
Lástima que en la tienda no quería verle. Le decía:
"Sube arriba, con la tía. No vengas aquí cuando trabajo". Y tenía la voz dura para decir aquello. Luego,
por la noche, era muy diferente. Por las noches y los
domingos, papá era muy diferente. Leía el periódico,
cenaba despacio, y, después, encendía la pipa y decía:
"Vamos a ver: venga usted aquí, bribón". Y sonreía.
Entonces jugaban al dominó, o al parchís. O le contaba cosas. Cosas bonitas, de esas que son como cuentos.
Lástima que esto sólo sucediera por la noche o los domingos. De todos modos, papá era lo único bueno. Seguro que ninguno de aquellos chicos tenía un padre
como el suyo. Los padres de los chicos de allá abajo
les pegaban. Sí, él lo había visto. Un día, uno de
aquéllos —era uno que vendía naranjas, las tenía api-
ladas encima del carrito, y el chico las tiró todas, él lo
vio— agarró al chico por el brazo y le molió a palos. El
chico gritaba, se ponía las manos encima de la cabeza.
Pero no le valía. Cuando el padre le soltó se fue contra

la pared, llorando. Al cabo de un rato se desabrochó el pantalón y orinó. Luego se secó los ojos con el brazo y volvió con el padre, a ayudarle. Ninguno tenía un padre como el suyo. Pensándolo, el corazón se esponjaba, dentro. Dio media vuelta y subió despacio, por la escalerilla de caracol, para que no se enfadase papá. Volvió al piso, al comedor de muebles grandes y feos, con la lámpara de cristalillos, que la brisa, entrando por el balcón abierto, mecía con un tintineo de diminutas campanadas. Volvió al piso silencioso, de paredes cubiertas con papel de rayas violeta y ramos de flores, del aparador alto con bandejas de laca y tazas de China, con cuadros de caza y, en una esquina, el alto reloj de carillón. Al piso de la tía Eulalia y la criada malhumorada.

Fue por la tarde lo de la sorpresa. Nunca lo hubiera creído. Papá subió de la tienda y dijo:

—Esta tarde tendrás una sorpresa.

—¿Qué sorpresa, papá?

Al fin se lo dijo:

—Te van a traer un amigo.

Se quedó mudo. Un amigo. Un amigo. ¡Qué raro! Un amigo que no insulte porque uno está gordo y lleva vestidos limpios y zapatos. Un amigo. Para esas cosas están los amigos...

—¿Un amigo... para jugar con él?

—Natural. Para pasear con él, por las mañanas.

Y era verdad. Lo trajeron. El amigo era un corderito blanco, pequeñito, con ojos redondos de color de miel. Le habían puesto un lazo verde en el cuello. De momento se quedó estupefacto:

—¿Éste es el amigo?

—¡Qué hermosura! —dijo tía Eulalia—. Es un corderito pascual... Sí; yo, de niña, en el pueblo, tuve uno. Ya verás... Lo sacarás a pasear y a comer hierba, por el solar de ahí detrás...

Así fue. De pronto, los días se volvieron distintos. La primavera avanzaba, y el sol hacía doradas, brillantes, todas las cosas. Las piedras de la calle y las hierbecillas tiernas, azuladas, del descampado. La tía Eulalia empezó a dejarle salir solo. "Como está ahí atrás, y no tiene que atravesar ninguna calle..." Sacaba la cabeza por la puerta, se asomaba al rellano de la escalera, para verlos bajar, despacio, a los dos juntos.

—Anda con cuidado...

Dentro del corazón, el sol también brillaba. Iban juntos, por la acera, y un vientecillo fresco le daba en la cara. El cordero era su amigo. Le puso un nombre: *Tabú*. Como a aquel perro de las historias de papá. *Tabú* balaba, acudía a su silbido, le conocía a él más que a nadie, le seguía mansamente, comía en su mano. No había en el mundo ningún amigo como *Tabú*. Dormía en el patinillo, detrás de la tienda, entre cajones y virutas. Todo el mundo quería mucho a *Tabú*. La vida había cambiado con él. "Es mi amigo." Y estaba contento. Casi ni se asomaba a la ventana del cuarto de tía Eulalia. Ni miraba a los chicos del mercadillo. "Mi amigo."

El Domingo de Ramos estrenó un traje de marinero azul oscuro. Le tiraba debajo de los brazos y le apretaba el cuello. También le adornaron mucho el palmón. Lo llenaron de lazos y de frutas azucaradas. Le daba un poco de vergüenza: todos le miraban. A él y al palmón. Sudaba, y los guantes de hilo se le ensuciaron en seguida. La tía Eulalia y papá estaban muy serios. Siempre, en misa, se ponían serios, como enfadados con todo el mundo. Volvieron a casa.

La mesa ya estaba puesta. Llena de vasos y de cuchillos, brillando al sol que entraba por los cristales. Entre los visillos, una mosca zumbaba.

—¡Un verdadero día de Pascua! — dijo tía Eulalia, estirando la servilleta.

Él no tenía hambre: tenía mucho calor. Los zapatos le dolían. Comió la sopa despacito, mirando el mantel, tan blanco.

—Come de prisa — dijo tía Eulalia.

A él no le gustaban las sopas, espesas, humeantes. Siempre comían sopa. Sopa, sopa, caldos espesos, donde flotaban pedazos de carne, garbanzos y verduras. Olía como el agua caliente de fregar los platos — él la había visto en la cocina, bañando hasta el codo los brazos de la criada —, el agua aquella humeante, blancuzca, amarillenta, con las canciones chillonas de la chica.

La chica trajo la fuente de la carne. Él aplastó las miguitas de pan contra el mantel, con su dedo gordito. Papá y tía Eulalia hablaban. Siempre hablaban de cosas de allá abajo, de la tienda. La tía Eulalia daba consejos. Miró a su padre. Y sintió una cosa extraña, allí, dentro del pecho apretujado por la servilleta que aún olía a plancha, que aún estaba un poco húmeda. Los dientes de papá, afilados, crueles, se clavaron en un trozo de carne. Papá se manchaba la barbilla de grasa cuando comía. Papá decía: "Con los dedos se come bien." Los dientes de papá dolían. Dolían.

La musiquilla que decía: "Gordo barrigón, globo reventón". Papa era alto, tenía el pelo negro, escaso, pegado sobre la calva en tiritas como cintas. Papá tenía la carne pálida como él. Cara de muñeco de palo. Papá abrió la boca. Papá tenía unos dientes blancos y grandes.

De repente se levantó. El corazón tiraba fuerte. Los dientes se clavaban y dolían, en el corazón.

—¿Adónde vas?—casi chilló la tía Eulalia—. ¡Vuelve en seguida!

No volvió. Fue a la cocina. Empujó la puerta. La ventana de la cocina estaba abierta, daba al patio de la casa, donde nunca entró el sol. La cocina estaba envuelta en un resplandor azulado, porque en la calle la luz era muy fuerte. En el antepecho de la ventana, la cabeza desollada, los ojos redondos, muertos, tristes, de *Tabú* le miraban mansamente.

LA FRONTERA DEL PAN

Hacía muchos años, aquel lugar comprendido entre la iglesia grande y el mercado de libros había sido una dulce y pacífica plazuela de la población. Pero de su antiguo ambiente sólo quedaba ya una pobre fuente con un ángel verdoso y mutilado, que tendía la mano derecha hacia el surtidor.

Enrique Babel acudía allí cada tarde, a la salida del trabajo, para tomar un poco de aire puro, tal como le recomendaba su madre.

Babel solía detenerse junto a la fuente, con las manos cruzadas sobre la trabilla de la gabardina, escuchando el leve pero tenaz rumor del agua. Era como el rumor impasible del tiempo, o como un viejo que fuera contando sin cesar lo que vio antes: "Vosotros —creía oírle Babel—, vosotros moriréis como murieron vuestros padres y vuestros abuelos...".

Ahora, aquel rincón estaba condenado. Allí se reunían las desarrapadas vendedoras de pan blanco, porque era el único lugar en donde les estaba permitido efectuar sus ventas. Atronaban y manchaban la paz de la fuente con sus continuas riñas. De la esquina de la iglesia en adelante les estaba prohibido pasar, y para impedírselo había allí instalado un guardia de ojos pensativos, que se rascaba una oreja con un palito.

La gente llamaba a aquel límite "la frontera del pan", y las voces de las vendedoras sustituían a las suaves mañanas de otro tiempo, en que las niñas saltaban a la comba y los niños de cabellos largos hacían rodar sus aros de madera. Todo esto le dolía a Babel inexplicablemente.

Y es que Babel, con sus dieciocho años torpes, vivía en un continuo sufrimiento. Y a menudo, cuando el domingo le veía su madre, quieto y sin amigos, esperando que ella le planchase la camisa para ir a la iglesia, le decía con pena:

—Tú no vives en este mundo.

Pero no sabía cuánto padecía su hijo por todo y por todos. Babel no amaba a la vida, tal y como le había sido concedida. Era dependiente de una ferretería desde hacía cinco años. Los pequeños estantes de la tienda, los cajoncitos de madera, se le antojaban nidos con tristes pájaros de hierro que no podían volar.

—Un paquete de clavos, chico... — le pedían para clavar sabe Dios cuántas cosas. Babel vestía allí dentro un guadopolvo negro, y al salir lo cambiaba por su vieja gabardina, tanto si hacía frío como calor, lluvia o sequía. Así, desde hacía cinco años.

En la ferretería no reinaba la luz. Babel pensaba a menudo qué hermoso debe de ser pasear en silencio, a cualquier hora, calle abajo. Detenerse sin prisa frente a los escaparates, y comprar libros.

Comprar libros era un placer. Pero más hermoso debe ser leerlos y *comprenderlos*. Que las letras api-

ñadas, que las palabras en sucesión no guarden un
enigma cada dos párrafos y le formen a uno un pliegue
de triste ignorancia sobre la frente. Porque, ¡qué pocas
cosas podía Babel leer y comprender al mismo tiempo!...
Apenas pudo ir a la escuela. De niño siempre estaba
enfermo, guardando cama, "con la sangre muy mala,
porque su padre había sido un gran pecador", según
las textuales palabras de su madre. Por eso fue su instrucción tan deficiente. Y el alma de Babel sólo podía
alimentarse escuchando el tibio rumor de la fuente,
cuyo significado nadie necesita aprender ni nadie puede enseñar. El ángel verdoso le tendía a él la mano,
sin duda, con toda su deliciosa inutilidad. Y entonces
a Babel le escocían los ojos, y los cerraba.

Babel tenía casi siempre los párpados hinchados
de orzuelos. Sí, le brotaban orzuelos, casi sin interrup-
ción, uno tras otro. Y granos, muchos granos en la
cara. A los trece años entró en la ferretería. Iba bien
allí. Es decir, no iba mal. Pasó de aprendiz a dependiente, por escalafón. Tal vez algún día llegaría a ser
encargado. Todo sin prisas, sin éxitos. A veces, aún le
era preciso guardar cama, pero el dueño le consideraba
mucho, y siempre podía volver a la tienda.

Babel era apreciado. Nadie se hubiera matado por
él, pero nadie le hubiera hecho daño.

Había en la ferretería, empleado también, un muchacho llamado Juan del Fuego. Era pobre y sin familia. Pero aquel muchacho comía miserablemente y
se privaba de toda diversión para poderse pagar unas
clases nocturnas que le permitirían presentarse en junio a ciertos exámenes. Quería con ello lograr... ¿Qué?

Exactamente, Babel no lo sabía. Pero Juan del Fuego, a pesar de sus privaciones, *sabía* y *esperaba*. Tal vez fracasaría, tal vez hubiera de volver a despachar clavos y cerrojos; pero habría podido correr la experiencia y conocer sus propios límites. En cambio — pensaba amargamente Babel —, él no podría conocerlos nunca y lo ignoraba todo de sí. Es triste esto.

Así, pues, Babel estaba comido por la envidia. Impura y vergonzosa envidia hacia Juan del Fuego, que pasaba hambre y vivía mucho más pobremente que él.

Un día Babel se compró un libro: *El origen de las especies*. Lo paseó muchas veces bajo el brazo, y a trechos lo abría, miraba las letras, bostezaba, y luego sentía deseos de llorar o de matar a alguien. Iba después a escuchar el rumor de la fuente, encogido dentro de su gabardina, mordiéndose las uñas. Y en alguna ocasión, cuando se quedaba muy embelesado, le parecía que el surtidor crecía milagrosamente, crecía hasta convertirse en una inmensa palmera de plata que iba a verterse luminosa sobre sus hombros derrotados. El rumor del agua crecía también y sofocaba las voces de las vendedoras de pan blanco. Babel no se había comprado nunca un panecillo de aquéllos.

A Babel le preocupaba mucho la diferencia que va de un hombre a otro. Pero pedía ardientemente una clase de igualdad: la igualdad de *oportunidades* para todos los hombres de la tierra. Tal vez había él nacido realmente para despachar tornillos detrás del mostrador, pero ¿cómo podía saberlo?... Nadie le permitió escoger. No había podido apreciar nunca su grado de capacidad. No sabía qué clase de hombre hubiera sido si, por ejemplo, entendiese ahora el significado de *El origen de las especies* o dispusiese de fortuna para dar la vuelta al mundo. A veces creía oír en la voz de la fuente una inmensa piedad por todo lo que le había sido negado, o robado. Y se decía: "Uno puede fracasar o puede equivocarse. No todos los hombres nacen para triunfar, bien lo sé, y hasta me parece natural, lógico y..., y, apurándolo mucho, justo. ¡Pero todos, absolutamente todos, tenemos derecho a conocer nuestros límites, nuestras posibilidades!... ¡Derecho, Señor, a *nuestra oportunidad!...*".

No sospechaba su madre, ni nadie de los que le conocían y le veían pasear solitario, cuánto le minaba la envidia. "Sí —se decía en su monólogo interno—, la envidia." Y aquellos días en que estaba enfermo, cuando su madre le traía a la cama un pequeño espejo y un peine, se miraba los orzuelos y los granos y se decía: "Es la envidia que me quema y trata de reventar por algún lado".

De este modo, sin amigos, sin enemigos, aquella tarde —como tantas otras— Babel se dirigió a la frontera del pan.

Las mujeres estaban insultando y maltratando a una niña. Como era tan reducido el espacio en que se les permitía evolucionar, la competencia se hacía feroz. Babel había visto ya otras veces a aquella chiquilla: tenía el cabello rubio, en lacios mechones caídos sobre los abultados pómulos; la nariz, chata; los ojos, semicerrados de estupidez, sueño o malicia; la boca, entreabierta. Iba astrosa, sucia. Y extrañaba la blancura del pan entre sus manos deformadas.

Las mujeres la habían tomado con ella desde el primer día. No le permitían vender un triste panecillo. Y es que, además, defendían una venta con la furia de un hatajo de demonios disputándose una alma. Era repugnante aquel espectáculo.

Al fin, una le dio una patada y la chica soltó un chillido tan agudo, que a los oídos de Babel consiguió por vez primera borrar la voz de la fuente. Era extraño: le había taladrado aquel alarido, le había atravesado y encendido como cuando penetra un rayo de sol en un vaso de vino. Le hizo el efecto de que acababan de sacudirle muchos años de letargo.

Era primavera en el cielo, y aún quedaba un rojo resplandor en las piedras de la iglesia. Babel sintió en su propia carne el dolor de un ser vivo, allí a su lado, compartiendo sus mismos instantes.

La niña se puso a llorar, y fue a sentarse en las gradas del templo, a pesar de que el guardia le hacía señas de que retrocediese. Lloraba con la boca abierta, sacudida por fuertes sollozos. Tenía el pecho débil, y los brazos, en cambio, redondos y robustos como los de una mujer. Con uno de ellos se tapaba la cara.

Babel recordó la palmera de plata que a veces imaginaba en la fuente, y se acercó.

—Anda, no llores—le dijo.

—Cómpremelo—repuso la chica, tendiéndole el pan rápidamente—. Se lo dejo en cuatro pesetas.

Aún le sacudía la garganta un gemido animal, entrecortado. Era fea, y el último rayo de sol le brillaba

dentro de los ojos mientras le miraba. Babel se detuvo
en aquellas pupilas de un pálido gris, con atenta fijeza.
Y, de pronto, pensó en la *oportunidad* que merecía
también aquella criatura. Aquel ser que gritaba, que
respiraba, que vivía. Era muy niña aún. Algo tibio se
le filtraba a Babel en el alma, al tiempo que un gran
dolor. En realidad, pensaba, sin saberlo, en sus propios granos, en su gabardina vieja, en sus horas de
encierro y en su libro *El origen de las especies*... Luego
le pareció que el gemido de aquel ser era su propio
gemir. Babel había oído hablar de Cristo y sintió no
haber podido conocerle.

—¿Cuántos años tienes?—le preguntó.

La niña se quedó un momento suspensa, y luego
repitió:

—Por cuatro pesetas...

—Anda, dime... ¿Cuántos años tienes?

Se secó la cara con el revés de la mano, y repuso:

—Doce.

—¿Qué hace tu padre?

—Está en Francia.

—¿Y tu madre?

Pero la niña ya no le respondió. Obstinadamente
callada, se miraba las rodillas, los pies. Se alisaba la
falda con las manos, sin levantar la cabeza. La luz bai-
loteaba en el rubio sucio de sus mechones, y Babel imaginó por un momento aquella cabeza limpia, aquella
piel jabonada y blanca.

—Debes lavarte—le dijo. Y ella continuó en su
silencio.

Entonces él se sentó a su lado en las mismas gradas de la iglesia. Y ya su lengua no se detuvo: no hubiera podido detenerla nadie. Habló, con los ojos puestos en los hombros flacos de la niña, que aún parecían agitarse.

—Pero ¿no sabes? —le dijo—. Tú tienes un corazón parecido a una paloma. Anda, mujer, acerca tu mano, acerca tu palma abierta al pecho, y la sentirás como queriendo escaparse... Oye: ¿no sabes que puedes muy bien salir de la frontera del pan?... Tú vas a cruzar la frontera y el guardia ese no te lo podrá impedir; aún es más: yo te lo aseguro que algún día tal vez te saludará con respeto a ti... Sí, chica, has de ser valiente. Y si no, dime: ¿qué esperas de la vida? ¿Has pensado alguna vez en lo que puede darte la vida?

Bueno: Babel estaba seguro, segurísimo, de que ella iba a dejar aquel vagabundeo. Que nunca sería como las otras.

—Míralas —decía, mostrándole aquellas desgreñadas—. Míralas bien: yo sé que tú no quieres ser así... ¿Verdad que nadie te habló nunca de esto?

Y además Babel sabía de muchas tiendas y talleres donde hacía falta una buena aprendiza. Había en toda la población infinidad de carteles diciendo: "Se necesita aprendiza."

Babel conocía una modista, amiga de su madre, que la admitiría en su taller de mil amores. ¿Y aquellas manos?... Vamos: ¿es que no había pensado jamás la niña lo que podían hacer aquellas manos?... Sí: no era un sueño suponer que aquellas sucias zarpas pudieran estar limpias y agitarse sobre un suave tejido, con la aguja brillando entre los dedos, rápida, rápida como una llamita azulada... Y además ella, en sus días libres — porque también hay días libres en la vida, ¿cómo no?—, se cosería un vestido. Sería un vestido precioso: tal vez de color rojo. Rojo encendido, como las cerezas, o como su misma juventud.

—Todo, todo llegará..., naturalmente. Ya ves: tú has nacido para alcanzar una felicidad tranquila, sincera... ¿Y el amor?... ¿Es que no has pensado nunca en el amor?

La niña seguía mirando al suelo, silenciosa. Babel no podía verle la cara, pero no sabía por qué suponía sus ojos llenos de lágrimas. Le parecía que aquel cuerpecillo se estremecía y crecía, como alentado por un mundo de esperanza.

—Existen — dijo entonces, acaloradamente, él —. Existen también hombres buenos, que se casan con muchachas así... ¿Oyes? Digo: "que se casan".

Pues sí: así era en realidad la vida. Ella encontraría un hombre bueno, como era lo natural. Y tendría su casa, y sus hijos. Claro está: es hermoso el trabajo, la familia, la existencia sencilla... Por ejemplo, un dependiente de ferretería.

La voz de Babel palideció un poco. Le escocían los ojos, otra vez. Y algo, o alguien, en alguna parte, se estaba riendo a grandes carcajadas.

Entonces supo que debía sofocar, apagar aquella burla con su propia voz. Y empezó a gritar, con verdadero dolor, dolor físico y abrasado:

—¡Es hermosa, muy hermosa, la vida!... ¡Cuando se es puro y simple e ignorante!... Así, así es bello vivir: entre departamentos para clavos, guardapolvos negros y dueños que te permiten siempre volver, aun después de estar enfermo... Un dependiente de ferretería, que gana quinientas ochenta y dos pesetas y se merece el aprecio de todos... ¡Ni un enemigo en la vida! ¡Ni un solo enemigo!... Y los hijos... Claro está: aceptar a los hijos, y amarlos, y... Eso es: el domingo se sale de paseo con ellos: uno en brazos, otro de la mano... La familia, la santa familia feliz... Todos muy bien peinados, con brillantina... ¿No lo has visto tú así muchas veces?... ¡Pues así, así podemos ser nosotros también!

El corazón le golpeaba fuerte, como protestando, como indignándose de sus palabras. A Babel le cayeron dos lágrimas calientes sobre la mano.

—¡Bah!... ¡Pobre Juan del Fuego!... ¡Pobre Juan del Fuego! —chilló desesperadamente—. Que llegue muy lejos, que llegue muy lejos: eso es lo que deseo... ¿No sabes, chica, que tú y yo vamos a ser los seres más felices de la Creación?... No hay que envidiar nunca a nadie... La envidia es un feo pecado: no importa ir por el mundo con la cara llena de granos, la cabeza vacía y una vieja gabardina llena de manchas... No importa ir así, con esta trabilla casi descosida, con estos tacones desgastados... Bueno, bueno: es preciso que yo cumpla mi promesa. Yo no soy de esos que ofrecen palabras y palabras... Te llevaré al taller de madame Pérez y diré: "Es una buena muchacha." Y sé que no me harás quedar mal. Ven. Ven conmigo...

La cabeza de la niña, inclinada, tenía un gesto tan humilde que le conmovió. Entonces Babel deseó besarle la frente, y casi iba a hacerlo cuando ella levantó, por fin, la cara. Las mujeres los miraban con malicioso interés.

—Pero, bueno, ¿me compra el pan o qué?... —dijo la chica con voz rota, dura.

Babel se incorporó. Luego retrocedió un poco, y hundió la cabeza entre los hombros. El viento arrastraba por el suelo uno de esos muñecos de papel que los niños cuelgan a la espalda de los distraídos. Miró a la fuente, y el ángel le tendía la mano, todavía.

Babel buscó en sus bolsillos, compró el pan y fue comiéndoselo por el camino.

CHIMENEA

Señor Párroco de esta villa:

Déjeme que le cuente, señor, esto que me pasa. Yo soy ese que usted ve a veces y que lleva la escoba al hombro: así, como caída hacia atrás. Pues yo subo a las casas y digo: "¿Quién necesita barrer el establo?" Y como todos son sucios aquí, señor, prefieren darme unas monedas para que barra yo todo el estiércol y la paja, y lo amontone en un rinconcito, muy bien dispuesto para el abono. Eso es lo que hago, y tal vez de este modo me recuerde usted. Pero pienso ahora que usted no tiene establo, y nunca me ha llamado, y tal vez de este modo no acierte a saber quién soy yo... Bien, he de decirle entonces, y fuera disimulos: yo soy, señor, ese que bebe tanto y tanto, ese borrachín que usted riñe siempre y al que amenaza con los enfados de Dios. Y usted me dijo ayer o anteayer: "Eres un holgazán y hablas con lengua de demonio, y Dios te castigará." Pues yo, como siempre que usted me habla, sentí dolor y no dije nada; pero ha de saber que a mí las palabras se me ponen todas a un tiempo en la garganta, con mucha malicia, y para no querer salir se confunden todas. Y yo por eso miro al suelo, como si sólo me importasen las piedras o la hierba que va naciendo y no lo que usted me dice. Pero no es así, no lo es, bien lo sabrá el Dios que está en el cielo, como usted dice. Y por eso del cielo me he puesto por fin a escribirle, porque no sabe usted cómo me roe por dentro todo lo que le he oído a usted en la iglesia el otro día que entré a escondidas, para no mojarme con la lluvia.

Sí, yo quiero escribir esta carta para que usted la coja en sus manos, la acerque a sus ojos y la lea, y sepa todo lo que a mí me hace ser tan borracho, y tan mala lengua y tan poco amigo de trabajos, como usted dice. Y así, sabiéndolo usted, puede ir luego a Dios, que tan bien conoce usted y debe de ser amigo suyo, digo yo, y así pueda usted pedirle diciendo: "Ese que grita por ahí con la escoba al hombro también quiere ir al cielo tuyo." Porque eso del cielo que usted decía en la iglesia, cuando la lluvia, me pareció a mí muy bien. Pero yo no puedo decir todas esas cosas con la voz, y por eso he cogido un trozo de lápiz y voy apuntándolo todo aquí, que así puedo ir pensándolo despacito, despacito. Conque hace tiempo que yo hubiera querido hablarle de todo esto, pero me sentía tan vergonzoso de pensar que luego usted me encontraría por la calle y pensaría: "Ése es el que también quiere ir al cielo", que yo no me decidía.

Pero ya me decido. Pues quiero contarle todo, todo, desde muy lejos, para que pueda luego pedir bien a mi favor y que no diga que me he callado nada. Vea, señor. Yo me llamo Cristóbal, aunque me llamen Chimenea. Mi madre llegó a este lugar conmigo, siendo yo muy niño, aún de meses. Mi madre llegó aquí desconocida y trabajó mucho para mí; pero hace de esto tanto tiempo que usted no había llegado aquí todavía, y había otro párroco que yo sí conocí: uno que tenía ojos azules y hablaba más de prisa que usted y nadie le entendía bien. Le digo que mi madre trabajó mucho, y es que lo fui viendo con mis ojos: se iba a ayudar a las eras, o a cocinar a las bodas y a recoger la bellota con un saco al hombro, bien grande. La tengo vista lavando en el río, con helada, y espigando por los caminos con polvo de ese que se mete por los ojos y las orejas. Yo era muy niño, tanto que apenas si sabía andar bien, pero recuerdo que ella, al marcharse, me dejaba un platito en la cornisa de la ventana. Pero entraban los gatos de los tejados a pelearse conmigo, y a veces me dejaron sin comer, y tuve que llorar después, porque el estómago me arañaba. Esto le cuento, porque aún me quema dentro, y tal vez le sea útil contarlo a Dios. Vivíamos, como le decía, en el granero de la posada, ¿sabe usted?, cuando vivía el dueño antiguo, aquel que llamaban Pinchaúvas.

Mi madre era muy joven entonces, y según creo la criticaban mucho y la llamaban nombres muy feos, y las mujeres no la querían. Y yo había oído decir a una: "Esa puerca criada, que se marche por donde vino, con sus pecados." Y yo fui y le tiré un peñazo, que por poco le da. Porque yo, le voy a decir: yo quería mucho a mi madre, porque no me dejaba trabajar. Porque es muy malo, muy malo, trabajar. Usted no sabe lo que yo he visto en cosa de trabajos. Y mi madre, como le decía, llegaba por la noche muy cansada. Y a mí entonces me despertaba, aunque yo estuviese caído de sueño en el suelo, me sentaba en sus rodillas y me hablaba. ¿Y sabe usted lo que mi madre decía?... Pues decía que ella no había parido un hijo para no verle nunca, y que por eso me despertaba, y me despertaría siempre aunque me quejase. Pero yo no me quejaba, y apretaba la cabeza contra su pecho, y frotaba mi cara en su cuello, y le daba *muerdos* pequeños en los brazos, y así ella se quedaba tranquila hasta dormirse. ¡Ay!, ¿sabe usted?, yo me acuerdo bien de que estaban muy ásperas sus manos cuando me tocaba la cara, pero en cambio sus labios eran finos y suaves como la misma hierba, puede creerme. Alguna vez se le quedaban las lágrimas en las puntas de las pestañas y yo no la dejaba secarlas, porque no sabe usted qué bonito hacía aquel brillo que le daba, como si fuera de noche allí en sus mismos ojos y se hubieran puesto a relucir estrellas. Y al fin ella decía: "Ea, duerme, tonto." Pero antes me juraba, y bien jurado, tal como habíamos visto hacer a los gitanos, que yo no trabajaría nunca. Y vaya si lo cumplía: no me dejó coger una mala azada, sino que me mandó a la escuela. Y esperaba impaciente que yo supiese mucho, mucho: para así no tener que trabajar.

Y no sabe usted lo contenta que se puso cuando vio cómo aprendí yo a escribir y a leer, tan bien. Pero en cambio, de números yo no di una. Nada, nada: y con las lágrimas borraba las sumas de la pizarra y no salían las cuentas, como que yo creo que aquello debía de estar embrujado. Y no aprendí, a pesar de que me tiraron bien de las orejas y me dieron con la vara, que menudo genio gastaba el maestro aquel. En esto, mi madre se llevaba unos disgustos que para qué le voy a usted a contar, y me decía: "Pero tarugo, cabezón, ahora tendrás que ponerte a sudar encima de la tierra o cortar leña para el alcalde si quieres comer. En cambio, si supieras de números te enviaría a la tienda a apuntar en el librote ese del viejo todos sus ahorros, y verías tú qué buena vida, sólo apuntando hormiguitas en el papel." Sí, bien sabía yo que ella decía verdades como puños, pero qué quiere usted, a mí antes me hubieran abierto la cabeza en cuatro: yo no pude con aquello de las cuentas. En cambio, aún le podría recitar de corrido los versos esos del burro y la flauta, y la mona de la nuez verde, y en fin, cuantísimas cosas más. Esto le digo para que no me crea usted tan tonto, tan tonto. Pero mi madre sí que lo creía así, y fruncía las cejas y me decía: "Tonto, tonto…" Y eso a mí me ponía un corazón tan pequeño que hubiera podido esconderlo dentro de una avellana. Y todos decían que yo era un idiota, y era el castigo que ella recibía por todos sus pecados. Porque yo me quedaba embobado siempre, y me daba vergüenza de hablar con la gente, y no ayudaba a mi madre en las faenas. Y siempre estaba muy triste, y sintiendo odio por todos los hombres y todas las mujeres, menos mi madre.

Con esto, llegó la desgracia, que fue cara al invierno. Ésta fue que mi madre se ahogó con la riada grande, porque fue en busca de una vaca perdida del alcalde, y el río las arrastró a las dos. Se murió, así fue, señor. Y créame que me parecía a mí imposible, acordándome de aquellos pendientes rojos que le bailaban en las orejas cuando movía la cabeza. Sí, así fue. Y, ¿sabe usted?, aún la llamé muchas veces, y luego, al darme cuenta de que ya no estaba, tuve daño aquí dentro, y después vergüenza por si me oían. Era yo flaco y poca cosa, como ahora, poco más alto que un celemín, y el posadero Pinchaúvas me tomó de criado para él; y el alcalde y el párroco le dieron la mano varias veces, y muy fuerte, llamándole "Bueno".

Pero yo no estaba acostumbrado a estas cosas, y créame que bien hubiera querido portarme como pedían. Pero mire, señor; a ver si me va a entender. Yo, seguramente no tenía entonces doce años, y me gustaba ponerme a mirar y a escuchar a los arrieros, y el modo como se sentaban todos alrededor de la mesa, y las cosas que decían, que la verdad, eran muy raras y le picaba a uno la curiosidad y la envidia, de qué modo. Yo bien querría contarle a usted todo aquello que oía y que me obligaba a ponerme a pensar; y le juro a usted que cuando me tiraban de las orejas, bien hubiera querido yo no pensar, que eso dicen que es malo. Y hubiera querido yo portarme bien diligente, al final de la mesa, cortando el pan y tirándoselo en rebanadas a los arrieros, tal como quería el amo, bien serio y trabajador, y atento a lo que faltase. Pero, ¿sabe usted?, aquellos hombres ¡eran tan diferentes de todos nosotros!... ¡Ah, sí, tan diferentes, tan contentos, y se reían!... ¡Con qué gusto se reían ellos en la sobremesa!... Sí, aquellos hombres venían del fin de los caminos, y al hablar no sabe usted qué cosas hablaban, y cada uno distinto. Y yo le juro a usted que me habría sentado en un rincón y me hubiera contentado con un mendrugo si hubiese podido preguntarles miles de cosas. Porque yo me decía: "Éstos saben mucho, saben de más allá de nuestro pueblo, de otras cosas más que el matarse y el comer, y por eso andan tan felices." Y contaban todos que si en la capital esto y lo otro, y que si uno había visto al gobernador, y que si el otro se compró un anillo de oro, de oro del bueno. Y uno una vez quería contar cómo era un tejado que había visto, lo menos en algún palacio, digo yo, porque decía que relumbraba todo con colores, amarillos y azules. ¡Qué bonito sería! Y también decían otras cosas que no puedo contarle a usted... Y entonces, después de oírlos, yo me ponía furioso y me decía: "¿Por qué fue así de mala mi madre, que me trajo a nacer a este lugar tan triste?" Yo me juré entonces no tener nunca hijos, porque ¡qué sabía yo dónde querían ellos nacer! Y me decía que las mujeres deben cuidar bien donde llevan a nacer a sus criaturas, por si se les quedaban luego en un trozo de mundo tan sucio y tan malo como este mío, y tuvieran que vivir sirviendo pan a los arrieros... Entonces, precisamente entonces, el párroco se murió y llegó usted aquí. Y un día entré en la iglesia, de una escapada, para ver qué cara tenía usted, cuando le oí hablar. Y le oí decir a usted algo que me revolvió el alma como tierra cavada, señor. Y fue esto lo que dijo usted, bien lo recuerdo: "Es pecado, pecado muy grande, vivir sólo para comer. Y los que viven sólo para comer, el infierno los devorará a ellos."

Y entonces, señor, yo me puse a temblar. ¿Pues qué?, me dije, ¿para qué voy yo trabajando de la mañana a la noche? ¿Para qué traigo la leña sobre las espaldas, para qué friego los suelos y esas pilas de platos más altas que yo, para qué sirvo el pan a los arrieros y repongo las velas de las habitaciones, y tantas otras tareas que me deshacen sin reposo, día tras día y año tras año?... ¿Para qué todo?... Para poder comer nada más. Y eso me puso aquí dentro una rabia muy grande, señor. Ya ve qué malo es pensar. Y después me entró una vergüenza mayor por lo que hacía: gastar mi vida, mi vida entera, para poder comer. Y me dije: "Soy peor que los puercos que van hozando en el barro." Y bien hubiera querido yo no ser así, y con el trabajo de todo el día poder alcanzar otro fruto, pero ¿no ha sentido usted nunca hambre, señor?... No le quiero a usted mal, pero ojalá, y es un decir, la hubiera sentido alguna vez para comprenderme ahora. Y en esto iba yo deshaciéndome los sesos, pensando en cómo podría yo encontrar otras razones por qué trabajar, ¡y es tan difícil aquí!... Por eso andaba yo siempre con un demonio haciéndome sombra, viendo el ir y venir de la gente en la posada, de los forasteros que viajaban y podían emplear el fruto de sus trabajos en otras cosas además de poder llevarse la cuchara a la boca.

Así, ya ve: un día, por fin, le pedí a Pinchaúvas un jornal en lugar de la comida, como veníamos haciendo. Y cuando me preguntó muy molesto por qué quería aquella rareza, no le pude contestar. Pero al verme tan terco algo le debió de picar la curiosidad, o qué sé yo: el caso es que al fin dijo: "Bien, allá tú. Pero no te acerques por la cocina a las horas de comer, porque te echaremos a patadas como a los perros."

Y así, pues, en cuanto tuve mi dinero, que era el primero, me fui derecho a la taberna y en vez de comer bebí, bebí, bebí. ¡Ay, no sabe usted cómo bebí!

Bueno, yo bien quisiera contarle ahora lo que en aquello encontré. Yo me sentía bueno, puedo jurárselo, señor, y fuerte, y no sentía vergüenza, y miraba con desprecio a los perros y hasta a los hombres. Yo me sentía alto, muy alto, y grande más que nadie, y hasta me reía: y gritaba con tanta alegría por las calles como nunca había conocido antes, ni siquiera cuando vivía mi madre. Y aquello, señor, no fue ni un día, ni dos: ya fue todos los días, y mi dinero apenas se malgastaba en un bocado, pero por vino rojo y bueno se me iba de las manos, y olvidaba todas las cosas feas y malas, como pensar.

Hasta que un día Pinchaúvas se cansó de mí y me echó de su casa, por escandaloso y todos me decían y me dicen aún: "Vete, borracho." Pero yo bien sabía que bebiendo había encontrado por fin esa otra vida que usted decía. ¿No es así? Y me decía: "¡Qué distinto soy de esos brutos que sólo saben comer y comer, como el alcalde!"

Ya ve. Esto es todo, señor. Por eso gano ahora mi dinero barriendo los establos, sin matarme, pudiendo pasear al sol despacito y entrar en la taberna, aunque me desprecien y me insulten, y no me dejen bailar en las fiestas. Y como el otro día le oí a usted decir que hay un cielo de Dios donde no se necesita ni comer, ni siquiera beber, ¡ay, señor!, pida usted para que yo pueda ir allí, pida usted por lo que más quiera. Porque de todos modos, le voy a decir otra cosa: el despertar del vino es muy triste, muy triste.

Ea, ya lo sabe todo, señor.

NO HACER NADA

Parecía que el pueblo estuviera incrustado en la roca, igual que una mala herida. Las tierras eran pedregosas, de color rojo oscuro, y el agua del río caía fuerte, partida en tres cascadas. El bosque brotaba muy cerca entre hojas amarillas.

Allí nació Martín Dusco, hijo de labrador. Fue en la tarde de un jueves, cuando uno de los hermanos — y eran tantos que daba pereza contarlos — llegaba a la casa bajo un saco de maíz. El perro se había tendido en la puerta, estorbando el paso y aullando con el hocico afilado. El muchacho le dio un puntapié, pues era mudo y no podía blasfemar. Sabía bien por qué estaba ladrando el perro: aquel animal había alcanzado muchos años de la familia y cada vez que nacía un nuevo hijo se echaba allí a la entrada y se ponía a gritar como diciendo: "Otro par de piernas para patearme el lomo. Yo quisiera engordar royendo vuestros huesos."

Y le habían visto muchas veces husmeando en el cementerio, que estaba muy abandonado, con los muros casi destruidos. Pero nadie se podía ocupar de restaurarlo, porque la gente tenía que trabajar la tierra, cortar la leña y cuidar el ganado. Es más importante cuidar de los vivos que de los muertos.

Martín Dusco creció. Conoció días azules y notó el barro de color vino pegándosele como un beso a la piel. Había tierra de siembra detrás de la casa, y algo más allá árboles de troncos negros y duros y tan hermosos... ¡Qué buena leña tenía aquella gente!... Claro que cuando llegaba el forestal iba pegando multas a derecha e izquierda y empezaban las maldiciones.

Martín Dusco supo en seguida que es preciso trabajar para vivir. No obstante se quedaba a veces apoyado contra la pared encalada del huerto, muy quieto. Y sentía trepar la pereza por la espina dorsal en tibios lengüetazos. Hasta que el padre le descubría y le llenaba la cara de bofetones. En aquellas ocasiones, el perro se ponía a escandalizar y trataba de morderle los talones para hacer méritos delante del viejo.

Martín se arrollaba una cuerda a la cintura, cogía el hacha y se iba al bosque con las orejas encendidas. Al caballo le había salido un tumor en el lomo, negro ya de moscas, y a Martín las cargas de leña le mordían las costillas. Por la noche se sentaba en el extremo de la mesa con el plato en las rodillas, y todos decían:

—Ése está dormido.

Un día se quejó de que le dolía la espalda.

—A ti—le contestaron—te duele tener que trabajar.

Pero estaba bien claro: sin trabajar no se puede vivir. Miraba a su madre, a su padre y sus hermanos: todos consumidos y rendidos de fatiga. Y así, todas las gentes de allí cerca, agachados hacia la tierra también. Con sólo subirse a la cerca del campo de los carboneros bastaba para ver trabajar. Quemaban trozos de roble dentro de la tierra y sudaban como hijos del diablo. Solamente durante unos breves minutos se sentaban mordiendo pan y dirigiendo miradas inquietas al camino por donde solía pasar el forestal. Señalaban con sus dedos negruzcos el cielo inseguro o aquel suelo que ellos no podían sembrar.

En fin: esfuerzo, labor, en todas partes. Y además, comer, dormir, andar, pensar...

—Baja de ahí, zafio—le decían.

Los días de fiesta, aún se ponía más triste viendo cómo todos bailaban casi estallando dentro de la corbata y los zapatos. Como ya tenía quince o dieciséis años, sus hermanos se burlaban de él porque metía la cabeza entre la paja y se quedaba así, quieto, mientras ellos paseaban al Santo Patrón desde la ermita a la parroquia y desde la parroquia a la ermita.

—Está enamorado—decían, riéndose.

Pero eso no era cierto. No estaba enamorado de nadie; todas las chicas del pueblo tenían los dientes careados, y además era preciso acosarlas como a jabalíes. Costaban demasiado y no valían la pena.

Un día el padre murió de un hachazo mal dirigido. Echaron suertes y a Martín le tocó cavar el hoyo, porque no tenían allí enterrador. El perro iba llorando por entre las cruces caídas, y Martín pensaba: "¿Por qué debajo de la tierra?... Igual la abonará si le dejamos encima."

Pero le enterró porque así venía haciéndose desde muchos años atrás.

El hermano mayor hizo las particiones entre disputas. A Martín le empujaban todos, y por fin le dijeron:

—Mira: para ti es el campo de aquí al lado.

Con un suspiro hondo, cargando con su tristeza, Martín rompió la tierra tal como había aprendido. La sembró y, en fin, hizo lo que hacían todos.

Mas cuando sintió llegar el verano, le entró un ahogo inmenso pensando cuánta cosecha iba a recoger para él solo.

—Cásate— le dijo el hermano mayor. Pero el hermano mayor se había casado antes con una mujer de espaldas anchas, y había que ver cómo se maldecían y se multiplicaban. Martín Dusco sintió un escalofrío y miró al suelo.

Buscó luego a uno de los hijos del carbonero y le dijo:

—Si me recoges el trigo, quédate con la mitad.

El hijo del carbonero se pasó la lengua por los labios y afiló la hoz.

Pero cuando la madre vio a Martín con las manos abiertas y caídas, empezó a lamentarse.

—Ya ves— decía —. Ya ves cómo me maltrata tu hermano mayor; yo estoy aquí olvidada, y como no puedo casi moverme por el reuma maldito, me dejará morir sin compasión. Entretanto, tú que eres joven y puedes trabajar pierdes el tiempo esperando a que pasen las hormigas y aplastándolas...

Como la anciana no podía ya trabajar, parecían todos de acuerdo en que no tenía derecho a vivir. Pues bien: él, Martín, la ayudó, partiendo su parte con ella. En tanto, el pícaro perro mordía ahora los tobillos del que contradecía al hermano mayor. Sin esfuerzo no se tiene derecho a nada.

El hijo del carbonero recogió la cosecha y le entregó la tercera parte. De todos modos, para él y su madre sobraba, y la vieja dijo:

—Véndelo...

Así lo hizo. Pero tuvo que trabajar más que si hubiera segado él solo todo el campo. En consecuencia, una angustia se abrazaba a su cuello cada vez más estrechamente. Y desde entonces las malas hierbas crecieron en sus tierras.

La madre se moría de hambre, y le gritó, desesperada:

—Por lo menos ve al granero, busca la escopeta de tu difunto padre y procura cazar...

Buscó el arma. La halló mohosa y llena de polvo y se puso a cargarla por la boca, separando el perdigón de la pólvora con trozos de papel mascado.

Cuando el perro le vio empezó a dar alegres vueltas alrededor aullando hipocresías.

—Te partiré el cráneo— le amenazó. Pero, a pesar de que el animal le siguió las pisadas, no volvió a amenazarlo.

Se metió entre los árboles, y sentía en la piel l sopor lento de la tarde, tan dulce y pegajoso, tan lleno de pereza. Los troncos estaban centelleando aún por la última lluvia, y el perro, delante de él, hacía tres veces el camino.

Encontró una fuente y se sentó. Poco después crujieron las hojas y llegó otro hombre cazador con una escopeta moderna y polainas muy graciosas.

—Mal día— comentaron.

Aquel hombre llevaba un pequeño bigote negro, y

aunque no lo hubiera dicho se notaba que era de la ciudad.

—¡Ah! — suspiró rabiosamente Martín, interrumpiéndole —. Para vosotros es la buena vida. En cambio, aquí en el campo...

Mas el otro rió y se puso a explicar muchas cosas. Dijo que trabajaba ocho horas diarias dentro de un despacho donde se asfixiaba. Por eso aprovechaba los domingos para ir a cazar y poder respirar aire puro.

—Yo cazo para comer — dijo Martín.

—Así es la vida — repuso el otro. Y le ofreció un pitillo.

Pero Martín Dusco no sabía fumar y, además, aquel hombre charlatán había empezado a hablar de fábricas, de motores, y, sobre todo, de dinero. Llevaba muchas cosas dentro de la cabeza. ¡Señor, y cuántas quería hacer a un tiempo! Abría los dos brazos como si quisiera abrazar el Universo a un tiempo. La amargura de Martín crecía oyéndole. Le pareció que dentro de sus propios ojos giraban grandes ruedas, y notaba un extraño zumbido en las orejas. Siempre había alimentado la esperanza de que un día u otro podría conseguir un lugar de paz, pero tal vez ese lugar no existía. En cambio, imaginó que miles de hombres atareados, obreros, le empujaban y estrechaban armando ruido, mucho ruido, como de gran maquinaria.

Bruscamente se levantó, dejando plantado al de las ocho horas. Bajaba por entre los árboles un viento frío, nuevo. Y él empezaba a subir muy de prisa apartando las ramas. Nunca había corrido tanto.

Se fue muy lejos, hasta un pequeño claro del bosque, donde la hierba era de un azul muy oscuro, y se dejó caer en el suelo respirando con fuerza.

El perro empezó a lamerle la cara, y él no lo apartó. Aspiraba ansiosamente el aire libre, y sentía cómo se le clavaban en la nuca unas piedrecitas afiladas. Los troncos de los árboles aparecían largos, casi infinitos. Extendió en cruz los dos brazos y se le quedaron mojadas las manos. Daba pequeños gruñidos de alegría volviendo la cabeza de un lado a otro.

Después se quedó quieto, mirando al cielo.

Pasó mucho rato, y él no se movía. ¡Qué fuerte y dulce adormecimiento le ganaba! Se dio cuenta de que no hacía nada, absolutamente nada. Y pensó una vez más cuánto cuesta vivir, cuántas cosas se precisan para vivir. Y se dijo: "Pues bien: ¿para qué diablos esta vida?" Al fin y al cabo él no la había pedido a nadie y estaba pagándola a un precio excesivo. Renunciando, pues, a aquella lucha desproporcionada se sentía milagrosamente alegre, libre. Movió un poco el cuello y los pies. El perro, impaciente, le mordisqueaba las botas. Hasta que, en vista de que no se levantaba, decidió abandonarle y se volvió a casa, ladrándole con desprecio.

Martín Dusco se quedó dormido.

Cuando despertó se encontró boca abajo, y las piedrecillas se le clavaban en la mejilla. Se sentó, restregándose los párpados. Arriba, la luna le miraba muy seria.

Tenía sed y gateando buscó aquel pequeño arroyo que bajaba riéndose entre el musgo. Bebió, se miró en la charca azulosa, y sólo pudo distinguir su silueta despeinada. Luego tuvo hambre, bostezó y se volvió a dormir.

Cuando de nuevo se despertó ya había entrado el día. La sangre corría joven dentro de sus venas. Se arremangó y estuvo un buen rato contemplando la línea violeta que se hinchaba bajo su piel cruzándole el brazo. Respiró blandamente. No importaba tener hambre.

Después volvió a beber. Pero calentó tanto el sol, que fue a tenderse en una sombra de color verde húmedo y se entretuvo viendo trepar a los insectos por sus manos inmóviles.

Volvió a dormirse. Y a despertarse. Pero no se levantaba del suelo.

¡Cómo se afanaban las hormigas, los pájaros, las ardillas, peleando con la muerte!... Y él sonreía muy quieto, con las manos abiertas sobre la hierba.

Al décimo día, los ojos se le nublaron, y no podía mover los pies ni la cabeza. Miraba al cielo con gran paz, aunque no lo veía.

Empezaban a acercársele los roedores: incluso uno trepó hasta su pecho, pero cuando sintió latir debajo el corazón huyó aterrado. No obstante, otro día llegó en que se pasearon libremente sobre él, y un ratón empezó a roerle las uñas y la chaqueta. Más tarde, las hormigas trazaron un camino a través de su cintura.

Después un hedor dulzón ahuyentó a los animales limpios. El sol calentó fuerte, y las facciones de Martín Dusco parecía que fueran a derretirse. Tal vez sus parientes no le hubieran reconocido. Además, le faltaba una oreja y le habían mordisqueado la nariz.

Una mañana llegaron los buitres, trazando círculos. Le dejaron los huesos limpios y blancos como recién encalados.

¡Por Cristo, qué bien lo pasó!

VIDA NUEVA

—Qué asco! —dijo Emiliano Ruiz—. ¡Qué asco! Acabo de pasar por la tienda y está todo abarrotado de gente. Las uvas, más caras que nunca, y todos ahí, aborregados, peleándose por comprarlas. Podridas estaban las que yo vi.

Don Julián le miró vagamente, con sus ojillos lacrimosos.

—No se ponga usted así, don Emiliano —le dijo—. No se ponga usted así.

—El caso es —dijo Emiliano, limpiando con su pañuelo el banco de piedra —que si usted los oye, desprecian todo. Pero luego hacen las mismas tonterías que los antiguos. Yo no sé a qué conducen estas estupideces a fecha fija. Tonterías de fechas fijas. Alegrarse ahí todos, porque sí. Porque sí. No, señor; yo me alegro o me avinagro cuando me da la gana. Como si mañana me da por ponerme un gorro de papel en la cabeza. Porque me dé la gana. Pero así, quieras o no quieras... ¡Bueno, modos·de pensar!

Don Julián sacó miguitas y empezó a esparcirlas por el suelo. Una bandada de pájaros grises llegó, aterida.

—Lo que a usted le pasa, y perdone —dijo—, es

que está usted más solo que un hongo. Que es usted y
ha sido siempre un solterón egoistón y no quiere reconocerlo. Le duele a usted que yo tenga mis hijos y mis
nietos. Le duele a usted que yo tenga una familia que
me quiere y que me cuida. Y que se celebre en casa
de uno (en lo que uno pueda, claro) la fiesta, como es
de Dios. Ahí tiene, esta bufanda. Esta bufanda es el
regalo de estas fiestas. ¿A que a usted no le ha regalado nadie una bufanda, ni nada?

Emiliano clavó una pálida mirada despectiva en la
bufandita de su amigo, el pobre don Julián. A don
Julián le llamaban en el barrio "el abuelo". Vivía con
su hija, casada, y dos nietecitos. Ambos, don Julián y
Emiliano, eran amigos desde hacía años. Todas las tardes se sentaban al sol, en la plazuela de la fuente. Al
tibio y pálido sol del invierno, donde los pajarillos buscaban las migas que esparcía don Julián, y escuchaban,
entre nubecillas de vapor, las quejas que salían de la
boca de Emiliano Ruiz, el viejo profesor jubilado.

Don Emiliano llevaba un trajecillo negro verdoso,
cuello duro y pulcro, corbata y puños salientes. Un som-
brero de fieltro marrón, cepillado, botines y guantes de
lana. Siempre con bastón. Emiliano tenía el rostro pálido y los ojos diminutos y negros. "El abuelo" iba con
un viejo abrigo rozado, una hermosa bufanda y una
boina negra. Llevaba los pies bien enfundados en dos
pares de calcetines de lana y embutidos en zapatillas a
cuadros. Cuando nevaba, no salía, y desde la ventana
del piso, sobre la tienda, contemplaba al audaz, al duro,
al implacable Emiliano Ruiz, que le miraba desprecia-
tivamente y le saludaba de lejos. Emiliano nunca lleva-

ba abrigo. "A esos jóvenes estúpidos quiero yo ver a cuerpo, como yo." Todo el mundo sabía que la jubilación la llevaba don Emiliano clavada en el alma, y odiaba a los estudiantes. "El abuelo", por el contrario, vivía contento, según decía, dejando la tienda en manos de su yerno. "Ahora vivo con mis hijos, satisfecho, disfrutando el ganado descanso a mis muchas fatigas. Eso por haber tenido hijos y nietos, que me cuidan y me quieren. Los que dicen lo contrario, envidia y sólo envidia."

Era el día 31 de diciembre, y en la población todos se preparaban para la entrada del año. Las callecitas de la pequeña ciudad olían a pollo asado y a turrones, y los tenderos salían a las puertas de sus comercios con la cara roja, un buen puro y los ojillos chiquitines y brillantes.

—No me haga reír, don Julián—dijo con ácida sonrisa don Emiliano—. No me haga reír. No es intencionado, pero mis duritos los llevo yo aquí dentro —se llevó significativamente la mano al chaleco—. Honestos y míos, sólo míos. Yo me administro. No necesito bufanda, claro está, pero si la necesitara me la compraría yo. Yo, ¿entendido?

"El abuelo" se ruborizó.

—No ofende quien quiere. A mí me compran todo, me quieren todos. Mis nietecillos, mi yerno, mi hija. ¿Para qué quiero yo ahora unos durejos miserables en el chaleco? Demasiados he manejado en mi vida, don Emiliano. Demasiados. El dinero no me conmueve a mí como a otros. Prefiero lo que da a cambio el dinero: lo que tengo. Una familia, un hogar, un calor... Eso.

Llegar a casa. "Abuelo, que le cambio las zapatillas."
"Abuelo, siéntese en el sillón." "Abuelo, tome usted
esto y lo otro"... Eso es. Lo mejor de la vida. No me
cambiaba yo ahora por mis veinte años. No, señor.
No, señor. Llegó la hora del descanso, de disfrutar de
la vida. Eso es.

Don Emiliano hizo un gesto de compasión y pal-
moteó el hombro de don Julián, que lo sacudió como
si le picara una avispa. Sentados uno junto al otro, es-
tiraron sus piernecillas secas al sol, y sus viejas carnes
se adormecieron levemente. No cambiaron una sola
palabra, apenas. Se sentían uno junto a otro. Las migas se acabaron y los pájaros huyeron.

—Bueno, amigo, ya me voy —dijo "el abuelo" —;
en casa me esperan. Esta noche es una noche hermosa,
llena de alegría, y ¡si usted supiera qué hermoso pavo
me espera! —Los ojillos de ambos se encendieron levemente de gula —. Eso traen las fiestas en familia: buena cena, alegría, compañía, felicidad. ¿Oye usted? "Felicidad." Eso se dice, estas fechas. Conque ya sabe:
¡"Felicidad", don Emiliano!

Don Emiliano saludó con la mano, apenas.

—Gracias, la tengo. Soy feliz como quiero. Sin
obligaciones molestas. Ceno pavo la noche que quiero
durante el año. No tengo que esperar a estas fechas.
Ya lo sabe usted. Cúidese, que le he visto palidillo.

"El abuelo" calló su mal humor, por lo de la salud.
Con paso tardo se dirigió a la casa. Como iba despacio, aunque no estaba lejos, tardaba en llegar. Cuando llegó, la tienda estaba cerrada. Oscurecía ya.

Subió lentamente las escaleras. María, la criada, zafia y mal educada, le vio subir:

—¡Que no me manche la escalera, abuelo!

"El abuelo" la miró indignado.

—¡Osada!

En el piso reinaba el silencio. Levemente el anciano llamó:

—Luisa..., hija...

María asomó su cabeza desgreñada:

—¡Que va a despertar a los niños!... La señora no está.

—¿Que no está?

—No —escondió una risa—. Esta noche salen. Me han dicho que le deje preparada la cena, abuelo.

—¡Osada! ¡No me llames abuelo!

—¡Usted perdone! Que caliente usted la cena en el gas, que en la alacena hay turrón. Yo salgo también. Así que deje la puerta abierta, por si alguno de los niños llora.

—¿Que se han ido? ¿Adónde?

—¡Anda! ¡Como que me lo van a contar a mí! ¡Pues puede usted figurárselo! Por ahí, como todos... ¡Y que no está todo animado! Cada día se ponen las calles más majas para estas fechas.

"El abuelo" se quitó despacio la bufanda. La miró, pensativo. La dobló cuidadosamente, como todos los años. Como todos los años, hasta el siguiente. La nueva. Se la compró su vieja, dos años antes de morir. Una lagrimilla fría, casi sin dolor, le subió a los ojos. Lentamente, "el abuelo" subió hacia la buhardilla, donde tenía la cama de matrimonio, alta y solemne. La gran

cama que se negó a vender cuando Luisa y su marido
compraron muebles nuevos y "refrescaron" el piso, sobre la tienda. "Pues si usted no quiere, tendrá que irse
arriba con sus trastos, porque aquí abajo no hay sitio
para eso. A estos viejos no hay quien les meta en la
cabeza que los tiempos cambian, que ahora la vivienda
es difícil, que hay que aprovechar el piso lo más posible..." El abuelo se fue a la buhardilla con su gran
cama, con su arca, y con la mecedora donde un día se
quedó muerta la pobre Catalina. A veces el perro subía
allí y olfateaba un poco. Luego bajaba, con los niños.
"Los niños." Apenas se los dejaban un momento en la
mano. Apenas podía tocarlos. Era viejo y las manos le
temblaban. Claro que los niños se ponían a llorar en
cuanto él los cogía. Pero ya se hubieran acostumbrado... Dejó la puerta entreabierta. Por la ventanita vio
el cielo de la noche, muy azul, con frías y distantes lu-
cecillas. "Año Nuevo", pensó. La noche llegaba lentamente. Encendió el braserillo y se acurrucó en la mecedora. Rato después le despertó el tufillo de la zapatilla quemada. Escuchó. María se había marchado ya.
La llamó en voz baja. Sí, se había ido. Sintió frío y
hambre. Lentamente, bajó la escalera, procurando que
no crujiera, para que los niños no se despertaran. Entró en la cocina y encendió torpemente el gas, y la co-
rona de llamas azules brotó con fuerza y le quemó un
dedo. Destapó una cazuela, y vio un guiso frío, que se
puso a calentar. Abrió la alacena y vio los turrones.
Estaban duros. Tendría que cortarlos. ¡Bah, daba igual!
No tomaría. El vapor de la cazuela le avisó. Volcó el
contenido en un plato y lo cogió, con sus manos tem-

blorosas. Sacó una cuchara. Lentamente, subió de nuevo a la buhardilla. Pensaba. "Año nuevo, vida nueva",
solía decir siempre la vieja, la amada y — ¿cuánto tiempo hacía que se fue? — la inolvidable Catalina.

Ya había oscurecido cuando don Emiliano se levantó, aterido, del banquillo. "A ver si ahorrando, ahorrando, puedo comprarme un abrigo el año entrante."
Con sus pasillos nerviosos, prodigiosamente erguido, en-
caminóse a la pensión. El portalillo estaba iluminado,
y un tropel de muchachos bajaban la escalera. "Insensatos, dejad pasar." Se hicieron a un lado. Eran tres estudiantes que vivían en su misma pensión. "Insensatos,
locos." Le recordaban a los de sus clases, en el Insti-
tuto, y se le encogió el corazón. "¿Qué les enseñarán
ahora? A mí me querían, aquéllos. Aquellos que no
volverán, que no sé adónde han ido, que no sé si han
muerto." Pero sí, estaban muertos. Como todo. Como
todos, alrededor de don Emiliano. "Como yo." La soledad se agazapaba, tímida, como una niña miedosa de
ser descubierta. Don Emiliano recogió su llave y se
dirigió a la habitación. En cuanto cerró su puerta, sus
espaldas se curvaron, y sus ojos se volvieron tristes.
Como dos pajarillos de aquellos que mendigaban las
migas del "abuelo". Don Emiliano se acercó a la
ventana, con paso cansado. Miró afuera, y vio el mismo cielo que "el abuelo", la misma vida bajo el mismo
cielo. Don Emiliano permaneció un instante quieto.
Luego, lentamente, abrió un cajón. Alguien llamó a la
puerta. Don Emiliano compuso el gesto, grave:

—¡Pase!

Una criada le miró sonriendo:

—Tenga, don Emiliano, las uvas, de parte de doña Gimena.

Don Emiliano hizo un gesto condescendiente:

—¡Qué bobada, muchacha! Bueno, déjalo ahí.

La criada dejó el plato y salió, riendo. Don Emiliano sacó un sobre y una postal de Año Nuevo. Se caló las gafas y se sentó, pluma en ristre. Con letras algo temblorosas escribió: "No estás solo, querido amigo, aunque todos han muerto. Felicidades." Firmó. La metió dentro del sobre. Volvió a la ventana. Estuvo así, tiempo. No sabía cuánto. De pronto oyó gran algarabía. Ruido de zambombas y risas de borracho, allá abajo. Allá abajo, muy abajo. Los ojillos de don Emiliano, tristes y grises pajarillos, aletearon. Con pasos sigilosos, cogió el sobre, y salió al pasillo. Miró, a un lado y otro. No había nadie. Con cuidado, se dirigió al buzoncillo de las cartas. La echó. Subió de nuevo, de puntillas. Entró en la habitación, con una leve sonrisa: "Mañana me la entregarán." Una a una, despacito, sin campanadas, don Emiliano se comió las uvas. Luego se acostó con el nuevo año.

SOMBRAS

Vivían cerca de los suburbios, en una casa estrecha y manchada de humo, junto a un solar triste, lleno de ecos, abrojos y latas vacías. Por las rendijas de la valla se deslizaban los perros, husmeando entre la basura: eran unos canes famélicos, de piel sarnosa y salientes costillares.

Estaba el cielo surcado por los cables telegráficos; y cuando llovía, el suelo de la calle se convertía en un pantano. Todas estas calamidades las conocían ellos, y las comentaban, y se quejaban... Porque, eso sí: sabían gritar y maldecir. Pero seguían viviendo en su piso debajo del tejado — tórrido en verano, húmedo y glacial en invierno —, envidiando las casas de los demás.

La familia era desigual, desunida: como miembros dispersos de un mismo cuerpo... El abuelo, los tres hermanos y el sobrino pequeño.

Vivían molestándose, codo a codo, exasperándose... Y, cuando parecía que iba a surgir la ruptura definitiva, cuando el piso amenazaba estallar, llegaba benéfica, absurdamente fácil, la reconciliación. Y es que se querían más, mucho más de lo que imaginaban.

Los dos hermanos varones se pegaron más de una

vez. Y sus peleas tenían lugar en el mismo piso, rompiendo los muebles bajo el peso de sus cuerpos, entre los chillidos de la hermana, el miedo del sobrino y la indiferencia del abuelo.

Los hermanos eran aún muy jóvenes, rubios, imperfectos... Se llamaban Raúl, Marcos y Lidia.

Al mayor le absorbían extraños negocios de hechura inverosímil y diversa, que le tenían en un continuo deambular. Decía él mismo: "Yo soy un gran ambicioso." Y, a su pesar, sus hermanos le admiraban.

Con frecuencia, un muchacho delgado y moreno, al parecer más joven que él, subía jadeando hasta el piso, sólo para comunicarle extrañas noticias. Se encerraban en el cuarto de Raúl y celebraban largas conferencias. El papel de aquella habitación—aquel papel que cubría las paredes representando no se sabe si flores o pájaros—estaba manchado por el humo de sus cigarrillos, junto a la mesa. Cuando Lidia trataba de escuchar, sólo captaba el siseo de sus voces.

Una vez, Raúl trajo una ceja partida y los labios hinchados. El abuelo se rió de él y dijo:

—Anda con cuidado: no es fácil jugársela a ese ratón...

Porque el abuelo presumía de conocer a las personas a la primera ojeada. Y le decía al niño:

—Tú, pequeño, te estás llenando la cabeza de fantasías, porque crees que tu tío es un héroe... Tú creerás quizá que es un criminal, o un gran ladrón. Pues no, hijo: todo es vulgar y mediocre, como su perezosa juventud.

El abuelo tenía la uña del dedo meñique larga,

curva y amarilla. Con ella se ayudaba a liar los pitillos. Hacía poco que le habían jubilado. Él y sus tres nietos, y el bisnieto, supervivieron al bombardeo que mató al resto de la familia.

El pequeño aún se estremecía cuando oía las sirenas de las vecinas fábricas, o el estallido de un neumático. Y sin embargo hacía ya tanto tiempo de aquello...

Lidia tenía diecisiete años. Le hubiera gustado ser mecanógrafa, o taquígrafa, o telefonista..., o, en fin, aunque sólo fuera dependienta de una tienda bonita, con muchos espejos. Pero no tenían criada, ella era la única mujer de la familia y se desollaba las manos en las faenas domésticas... Por eso no comprendía cómo, a pesar de todo, la casa estaba siempre llena de polvo, y el suelo sucio, y la ropa sin coser... Nunca tenía tiempo para nada.

—Trabajo de la mañana a la noche—lloriqueaba, sentada en su cama, aquellas noches en que una melancolía morbosa le impedía el sueño—, tengo las manos destrozadas, tengo la espalda dolorida, y nuestra casa parece un infierno...

Sus comidas eran un desastre. Le daba pena, vergüenza y rabia oír las quejas familiares: "¿Qué porquería cenamos?", decían una mañana, con las caras cubiertas por una erupción. Y Lidia se marchaba a llorar a su cuarto. Hasta que más tarde le entraba una risa loca, loca, acordándose de lo ocurrido.

Algunos días se levantaba alegre, canturreando. Entonces trataba de hacerse un peinado nuevo, con su pelo sucio, lleno de los vapores del fogón... Aún estaba intoxicada por la película que viera la noche anterior. Porque alguna noche Marcos les daba dinero a ella y al sobrinito para que fueran al cine. Un cine que había sido un garaje, pero que ahora resultaba muy atractivo, con sus grandes carteles de colores y los triples programas, por un precio módico.

Desde lejos se oía el altavoz, que inundaba de música toda la barriada. Podía comentarse la película con el de al lado. Porque casi todos eran vecinos y se conocían. Junto a ellos solía sentarse la mujer de la panadería, que no entendía nada y se pasaba el tiempo preguntando... Lidia lo entendía todo muy bien, y se lo explicaba. Hasta que los de las filas próximas se enfadaban y protestaban. Pero la panadera siempre llevaba algún regalito, aunque sólo fuesen unas avellanas, que ella comía sigilosamente, para que el niño no se enterase. Era muy divertido.

Marcos estaba empleado en un almacén. Era muy presumido y cuidadoso de su persona, y era también el que más sufría con la suciedad de la casa. Claro que era el que más dinero tenía y nunca faltaba en su armario un frasco de fijador-brillantina extraordinariamente perfumado. Los días festivos se ponía el cuello duro, alto, que parecía de celuloide y le obligaba a andar con la cabeza erguida. A Lidia le gustaba meter la cabeza en el armario y aspirar con fuerza.

—¡Qué buen olor, qué bueno! —decía. Y además golpeaba el cuello duro con las puntas de las uñas para sentir aquel ruidito tan agradable.

—Esta chica es tonta —decía Marcos. Pero se sentía satisfecho.

En cuanto al niño, el sobrinito, no era travieso, ni

cariñoso, ni descarado. En un principio había ido a la escuela. Pero después entró de aprendiz en un taller de ebanista. Le gustaba el olor a madera, y en su casa fabricaba mueblecitos inútiles con recortes de chapa.

Solía mirar el álbum de retratos del abuelo. Lástima que faltaran tantas fotografías... Sus padres también estaban allí, en el día de su boda. De ellos todavía se acordaba, y del estruendo de las bombas, cuando... Pero ¿de quién sería el dedo sucio que manchó la fotografía? ¡Qué rabia le daba! Su madre se parecía al tío Marcos; pero su padre, ¡qué alto, qué guapo!... Seguramente, cuando él creciese, se le parecería.

Alguna vez, yendo a algún recado, pasaba frente al lugar donde habían vivido antes de la catástrofe. Sólo quedaban las paredes, desnudas y negruzcas. Sentía un nudo en la garganta y pensaba: "Quisiera ser albañil..."

Tenía un amigo de su edad que vivía en la misma casa, dos pisos más abajo. Algún domingo iba a buscarle, y se sentaban junto a la camilla sobre la que ensordecía una radio de forma cubista. Como él "entendía", sabía que había pasado de moda...

La madre de su amigo era gorda, envuelta en una larga bata floreada, con el cabello aprisionado en una redecilla marrón. Olía a sudor, pero era muy cariñosa, y para merendar les daba pan y miel. Su amigo iba al colegio y además tenía un tren eléctrico con muchas vías y hasta paso a nivel. Una maravilla. Una vez le regaló un vagón, porque dijo que no "carburaba".

En su casa, el pequeño aprendiz de ebanista lo hizo rodar por el pasillo, hasta que el chirrido sobre los mosaicos despertó al abuelo, que dormitaba en su mecedora.

—¿Jueguecitos para el grandullón?—chilló, muy enfadado—. ¡Vas a ver lo que hago yo con eso!...

Y se lo tiró al solar. Pero luego, a la tarde, bajaron los dos, abuelo y bisnieto, a buscarlo. Gracias a Dios lo encontraron... ¡Qué alegría! Era un domingo caluroso, y el juguete brillaba como un espejo entre las malas hierbas.

Un día el amigo moreno de Raúl subió las escaleras resoplando para comunicarles que el mayor de los hermanos estaba en la cárcel.

—Fraude, estafa—dijo, abriendo los brazos—. Yo ya me figuraba que...

El abuelo no le dejó acabar, porque por todo comentario le dio una bofetada. La cabeza rizada del muchacho chocó contra la pared. Víctima del estupor, intentó hacer una frase sobre las canas del anciano. Pero el abuelo se burló diciendo:

—¡Si soy calvo, si soy calvo!...—Y es que estaba contento al darse cuenta de que aún tenía fuerza. Pero Lidia empezó a sollozar, y cuando llegó Marcos, el sobrinito corrió a la escalera para recibirle con la noticia.

—¡Claro!—se consternó—. ¡Si siempre fue un idiota, un ingenuo!

Aquello era intolerable.

Cuando Raúl cumplió su condena y volvió a casa, estaba muy delgado. Poco después les anunció que marchaba de la ciudad.

Compró una maleta de cartón que parecía de piel.

Lidia le hizo el equipaje, sonándose; y él, en el último instante, le dio un golpecito cariñoso en la mejilla.

—Escríbenos...—dijo el abuelo.

—Pues claro, claro...

Pero no volvieron a saber nunca más de él.

Al año siguiente, Marcos se casó con la dueña de una mercería. Era una mujer de treinta y tantos años, alta, fea y malhumorada.

El segundo de los hermanos se fue de la casa, con su brillantina, sus cuellos duros, su limpiaúñas y sus trajes archicepillados. El nuevo matrimonio se instaló en el centro, y ya sólo muy de tarde en tarde se veían.

Lidia se quedó muy triste. Cuando limpiaba los cuartos vacíos y veía las manchas en la pared, junto a la mesa de Raúl, y percibía el vago aroma del armario de Marcos, lloraba y se enjugaba los ojos con el revés de la mano. Una vez el pequeño la sorprendió, y aquella misma noche le dijo:

—Lidia, te convido al cine, ¿quieres?

Porque el sobrinito había ascendido en el taller.

Lidia le abrazó. No fregó los platos, los apiló de mala manera junto al fogón y fue a peinarse. El espejo estaba roto, como cruzado por una larga cicatriz. Se puso un lacito ridículo en la cabeza, y con el filo de las tijeras se rizó las pestañas.

La panadera trajo nueces. Pero aquella vez Lidia las partió con el pequeño.

—Si quieres—dijo el niño—, vendremos otras noches...

"¡Pobrecito!", pensó Lidia. Entonces se fijó en sus

manitas deformadas; y se acordó del estante que había hecho para colocar el álbum de las fotografías.

Las películas estaban cortadas y el público silbaba. En el suelo, bajo sus pies, crujían cáscaras de nueces y avellanas.

Volvieron a casa de prisa, bajo la lluvia, riéndose cada vez que se metían en un charco. Subieron la escalera despacio, para no fatigarse. Y abrieron la puerta despacio, procurando no hacer ruido. Pero el abuelo no estaba en la cama. Se había quedado dormido en su mecedora, con la cara vuelta hacia la ventana abierta. Parecía que contemplase la lluvia sobre el desconsuelo del solar, bajo la noche...

De pronto tuvieron miedo. Muy despacio, Lidia avanzó hacia el anciano. Y antes de rozarle la cara con las manos ya sabían los dos que estaba muerto.

EL CHICO DE AL LADO

A veces basta la cadencia de una voz, el súbito remolino del polvo de un sendero, para recordarnos algo. Algo grande o pequeño — da lo mismo: grande para nosotros, pequeño para los demás —, pero que supone un jirón de nuestra vida.

El mes de junio, por ejemplo, trae a mi memoria la figura de un muchacho. Ni siquiera me acuerdo de su nombre; pero sé que vivía en la casa de al lado, y nuestras vidas estaban separadas por una efímera valla de madera. Tenía cierta semejanza con un gallo de pelea, porque su pelo se arremolinaba sobre la coronilla en forma de plumero. Pero como en aquellos tiempos yo estaba abrumada bajo la humillación de un aparato para enderezar los dientes, el áspero mechón de cabello del chico de al lado tenía a mis ojos una atracción semejante a las plumas multicolores de un guerrero piel roja.

Había en el jardín vecino un árbol raquítico que ponía sobre la arena amarilla su pequeña mancha sombría. Los niños pequeños de la casa corrían, persiguiéndose, a su alrededor, levantando nubes de polvo reseco, llenando el aire con sus vocecitas chillonas. También había una caseta para el perro, pero vacía — porque el perro murió de viejo — y despintada.

Todos los días, después de comer, el chico de al lado iba a sentarse a la sombra del arbolillo, con un libro debajo del brazo. Se extendía en el suelo, efectista: porque en un mes había llegado a ser el más alto de la familia.

—Hola...

—Hola... —decíamos. Y me deslumbraba con cualquier historia, casi verdadera. Los primeros triunfos, todavía desdibujados, hervían en su pecho de adolescente; y cuando menos lo imaginaba cortaba en seco la conversación con un: "Y ahora déjame, por favor; tengo que estudiar..."

Yo me alejaba, aparentando indiferencia, intentando revestir de dignidad la amargura de las trenzas y los calcetines. Y él se sumergía en las páginas de aquel libro feo y pesado como el edificio del Ayuntamiento.

Su cabeza mojada, su roja nariz, sus manos nudosas, respiraban un hondo, perenne desprecio. Un desprecio que abarcaba el mundo entero, pero que se volcaba irreprimible sobre nuestras casas, nuestros jardines colindantes, nuestros familiares. Y había en su voz un deseo palpable de darme a entender:

—Te hablo, te tolero, pobre lagartija, gracias a la amistad de los "viejos".

Él y sus amigos, con sus zapatones destructores, el humo presuntuoso de sus primeros cigarrillos, sus discusiones, pertenecían a una raza distinta. Llamaban a Kant "el destructor de la filosofía", y cada cuarto de hora echaban mano, por lo menos una vez, de la palabra "complejo".

El chico de al lado fanfarroneaba durante todo el

año. Y cuando acompañaba a una niña rubia que estudiaba con él — balanceando las carteras, chupando un helado de vainilla, arrastrando los pies —, fingía no reconocer a nadie.

Solamente el mes de junio le obligaba a refugiarse bajo el árbol del jardín..., y siempre lograba vencer a los libros.

Su victoria anual llenaba de regocijo a la familia — especialmente a su madre, que venía a comunicárnoslo como al azar —. Y, de paso, dirigía miradas intencionadas a mi hermano. Porque mi hermano era una nulidad que se pasaba las horas muertas pintando en su estudio del ático.

Desde siempre le había admirado, pero llegó un día en que la admiración se deformó en una inexplicable humillación. Ya no me deslumbraba el sonido de su voz, ni el espectáculo del humo saliendo en columnas azules por debajo de su nariz, ni el parpadeo de sus ojillos negros. Empecé a alimentar un pueril deseo de venganza. ¿De qué?... ¿Por qué?... No lo sabía. O por lo menos, ya no me acuerdo.

Si en su jardín crecía un árbol raquítico, en el nuestro, por el contrario, reinaba un frondoso abeto desplazado de su leyenda de nieve. Una primavera me aproximé a la valla de madera y le dije:

—¿Por qué no pasas a estudiar a nuestro jardín? Ya verás: estarás mucho más cómodo y tranquilo... Además, nadie te molestará.

Y miré significativamente al otro lado, donde sus hermanos pequeños estaban levantando una fortaleza de piedras y arena, dando gritos, con unos gorros de papel en la cabeza.

Nosotros no teníamos hermanos pequeños.

Ya empezaba a sentirse el calor de la tierra seca, y el muchacho se quedó mirando la humedad silenciosa de nuestro jardín recién regado. Dudó sólo un instante.

Cuando hubo saltado, nos contemplamos un momento, sin saber qué decir. Llevaba una camisa listada de azul, que infantilizaba sus hombros y acentuaba la largura absurda de sus piernas. Y tenía la piel cubierta de gotitas brillantes. Pero, de pronto, me fijé en su proyecto de bigote y me hizo tanta gracia, tanta, que me marché de prisa para que no me viera reír.

A aquella edad nuestra bastaba a veces sólo un día para crecer bárbara, monstruosamente.

Después ya no fue necesario invitarle a pasar. Cada vez más temprano oía su silbido peculiar en el jardín, cuando aún estábamos sentados a la mesa. Mi madre decía:

—Ya tenemos ahí al chico de al lado... ¿Quién le dijo que viniera aquí a estudiar?

Mi hermano—que hablaba cada día menos y, además, acababa de "descubrir" la pintura surrealista—se encogía de hombros lentamente, ignorante del brochazo verde que le manchaba la nariz.

Aquel año los libros vencieron al chico de al lado, y no pudo ir a la playa. Se quedó en su jardín estudiando, estudiando...

Por aquellos días yo me corté las trenzas y el dentista liberó mis dientes de su opresión. Empezó a venir

a mi casa un amigo de mi hermano que se llamaba
Teo — no sé si era Teodoro o Doroteo — y era una
criatura especial.

Se adueñó casi por entero del estudio de mi hermano. Pronto los caballetes se llenaron de sus famo-
sos bodegones cargados de bermellón, cuyos modelos
naturales engullía acto seguido implacablemente. Mi
madre acabó dando órdenes terminantes, y plátanos y
manzanas eran ocultados apresuradamente a su paso.
Pero tuvo la gentileza de aleccionarme en los miste-
rios de la pintura. Un día me dijo que llegaría a supe-
rar a Rubens. Esto no me importaba poco ni mucho;
pero Teo tenía el cabello de un rubio oscuro, hablaba
poco y levantaba las cejas al final de sus frases. Además,
sentados en el columpio del jardín, saboreábamos juntos el modelo del día.

En esto llegó la víspera de nuestra partida; hacía ya
mucho calor y nos marchábamos a un pueblo de la
costa. Estábamos sentados a la sombra del abeto, mordiendo a partes iguales una manzana, cuando oí la voz
del chico de al lado:

—¿Os vais mañana?... Oye, ¿es que os vais mañana? — preguntaba. Y lo sabía perfectamente... Estaba allí cerca, detrás de la valla blanca, con su blusa ra-
yada y su pelo húmedo.

Dos o tres veces nos interrumpió con sus necias
preguntas. Y consiguió que Teo se pusiera en pie y
que, levantando las cejas, me invitara a "dar una
vuelta".

Salimos, y la verja chirrió fuerte, muy fuerte. Casi
sin darnos cuenta nos cogimos de la mano.

Atardecía, se levantaba una suave brisa y sentía la caricia hasta entonces desconocida del viento jugando con mi cabello corto.

El chico de al lado se quedó parado junto a la valla, mirándonos fijamente:

—Oye, oye. Cuando volváis de la playa, yo ya no estaré aquí—decía; pero su voz se perdía. La suya y la de los niños pequeños que se perseguían, y el crujido de la arena bajo las sandalias... Aún me volví a mirarle dos veces: tenía la cabeza levantada y aquel mechón enhiesto de la coronilla, ¡qué lamentable! Y, haciendo como que nada le importaba, se encogió de hombros.

"¡Qué niño es!", pensé. Y hasta su jardín parecía que se reducía y se borraba...

Cuando volvimos en otoño, nos dijo su madre que estudiaba fuera de nuestra ciudad.

De vez en cuando yo pasaba a su jardín y me sentaba bajo el árbol raquítico. La caseta del perro había desaparecido, y el pequeño de los niños me dijo:

—¿No sabes? La quemamos la noche de San Juan... ¡Huy, más bonito!...

Claro que esto son bobadas de adolescencia. Ahora todo es muy diferente.

MENTIRAS

La chica se fue del caserío porque estaba ya cansada de gritar detrás de las carretas. Se fue, pues, y llegó a la bahía, donde empezó a hormiguear entre las calles del pueblo hasta que encontró trabajo en una tienda adosada a la parroquia. Entonces empezó aquella vida entre cajas de galletas, persiguiendo a los ratones que mordisqueaban las pastillas de jabón.

Pero una vez, al pasar frente a los astilleros, el guardia la llamó:

—¡Eh, tú!—decía—. Cualquier día de éstos botaré mi barca... ¿Vendrás a verla?

Un momento se quedó mirándole; era achatado, le faltaba una pierna y le sobraba un palmo de cabello sobre las orejas y el cogote. En el rostro cubierto de vello rojo los ojos parecían dos pequeñas islas. Entonces se acercó a él, riéndose y uno junto a otro parecieron encogerse dentro de la noche. De este modo había empezado la amistad entre los dos.

En el pueblo murmuraban de aquel sentimiento que los unía en las noches apacibles. El guarda esperaba quietamente, junto al farol apagado. Sobre los costillares de los buques las aves chiflaban como cuervos; no obstante, la muchacha avanzaba sin miedo hasta él.

Una vez la chica tuvo un sueño: y en él vio al guarda con las dos piernas enteras. Pero se había quedado ciego e iba de un lado a otro manoteando en el vacío. "Una gaviota tuvo la culpa..., una de esas malditas se me comió los ojos como si fueran dos peces", decía. En cambio, con maderas inútiles y clavos oxidados se había construido una pierna nueva.

A causa de aquel sueño ella le preguntó:

—Y eso de la pierna, ¿cómo fue?

—Fue de chico... Tenía que embarcar para la China y me caí del palo mayor.

—¿Y no pudiste?

—No, no... Pero un día botaré una barca nueva, mía y bien mía.

Ella miraba aquella pierna única con ojos pensativos. La muleta tenía un algo cruel, como si su misión fuera pegar, sólo pegar y hacer daño. Pero el guarda era un pobre mentiroso inofensivo, resguardándose de la lluvia bajo los esqueletos de madera. Incluso en el amor no podía ofrecer más que parodias.

En una ocasión redactó un telegrama que horas más tarde recibió él mismo. En el papel azul podía leerse: "Madre murió." Y él se tapó la cara con las manos, dejando que los obreros del astillero le diesen palmadas en los hombros, aunque sabían todos que era inclusero. Algunas veces subía penosamente hasta la iglesia y se sentaba a la derecha del altar mayor, con la muleta rendida como una ofrenda. Al finalizar la misa se ponía en pie, y abría y cerraba la boca como si cantase él también la Salve.

—¡Qué gran tenor!—le decían—. Van a alquilarte para el Oficio, por San Pedro...

Y él sonreía, liando picadura de hojas secas como si se tratase de un pitillo.

Mas aquel año se suspendieron las fiestas del barrio marinero porque se ahogaron tres hombres en el mar. La campana tañía despacio, y el guarda señalaba allá en la bahía los restos de un naufragio como largas agujas tendiéndose desesperadamente al cielo. Luego, con un trozo de alambre hizo un anillo y lo forró de papel de estaño. Y si alguien se acercaba, lo sacaba del bolsillo y como escondiéndolo de las miradas ajenas empezaba a examinarlo.

—Irás a un buen sastre—le dijeron—. Traje nuevo, ¿eh?..., y corbata de seda.

—Puede ser...—repuso, escondiendo apresuradamente la alianza.

Mas aquellas fiestas de San Pedro, desiertas de música, sin otro eco que el lamento de la campana, trajeron a la chica del caserío una angustia nueva. Sintió el deseo de un amor real, y lo abandonó todo de nuevo: la tienda, el brillo del mar bajo la tormenta y aquel cúmulo de embustes que la retenía junto al astillero. Huyó montaña arriba, corriendo, con el cabello como un azote. Su pecho escondía un gemir débil, y allá arriba el cielo enorme parecía desentenderse de su corazón. Entonces se notó descalza: quién sabe adónde fue.

Después de aquel día el guarda miraba a menudo hacia los cerros por donde la había visto perderse, exigua y borrosa. El sol de la tarde le hería los ojos, y se ponía las manos sobre las cejas como un tejadillo. Luego se encogía de hombros y escupía tabaco. Pero sin querer le venía a los labios hablar de aquella barca que pensaba construir, y cuando se daba cuenta de que nadie le escuchaba empezaba a cruzar y descruzar los dedos de las manos, avergonzado.

Alguno que otro, al pasar, le decía:

—Se fue la chica, ¿eh?

O bien:

—Poco valía.

Pero un bromista que no le quería bien le recordaba que siendo chico no se había caído de ningún palo mayor.

—Si acaso — decía —, si acaso de algún barril de cerveza.

—Sí, sí… — respondía él, riéndose y moviendo mucho la cabeza.

"Sí, sí…", respondía a todo el mundo. Pero aquella idea de la barca le mordía, hasta que decidió convertirla en la única verdad de su existencia. Él había visto cómo los barcos llegaban a buen término, y después se perdían en el horizonte.

Empezó a recoger tablas y a amontonarlas. Por las tardes acudía al muelle e inspeccionaba detenidamente las lanchas atracadas. No hacía caso de las burlas y empezó a trabajar de firme. A los obreros del astillero los observaba: había uno que en sus ratos de ocio fabricaba pequeñas carabelas para sus hijos.

—¿Cuánto vale una de ésas? — le preguntó al fin, hundiendo el pulgar en el bolsillo del chaleco.

—Un baile alrededor de la muleta.

Él se rió también, como diciendo: "¡Qué gran bromista!" Pero trabajaba con afán amparado por la ausencia de ella.

Por eso, cuando la chica volvió un día al pueblo, ni se hicieron caso. Ella esperaba la arribada de los barcos grandes, y él pasaba horas y horas dándose martillazos en los dedos torpes, con el cabello empapado de sudor.

Cuando la terminó no se parecía enteramente a una barca. Pero fue y le clavó en la proa su muleta, como si fuera un mascarón.

Le recogieron unos pescadores entre las rocas del acantilado, con el cabello incrustado en la sien como una masa roja. Ella se enteró a tiempo de verle aún tendido en la playa, con el cuerpo hundido en la arena caliente de la tarde. Llevaba la chica unos pendientes falsos que prestaban a su rostro un cómico aire de prosperidad.

Entonces él la divisó, entre las manchas cada vez más borrosas de los otros, y deseó incorporarse.

—¡Eh, tú!—dijo con súbito brío—, ¿dónde estabas cuando boté la barca? ¿Creías acaso que era una mentira?... ¡No sabes lo que te perdiste!

Pero por fin había llegado hasta él una negra verdad que le obligó a callar definitivamente.

LOS CUENTOS VAGABUNDOS

Pocas cosas existen tan cargadas de magia como las palabras de un cuento. Ese cuento breve, lleno de sugerencias, dueño de un extraño poder que arrebata y pone alas hacia mundos donde no existen ni el suelo ni el cielo. Los cuentos representan uno de los aspectos más inolvidables e intensos de la primera infancia. Todos los niños del mundo han escuchado cuentos. Ese cuento que no debe escribirse y lleva de voz en voz paisajes y figuras, movidos más por la imaginación del oyente que por la palabra del narrador.

He llegado a creer que solamente existen media docena de cuentos. Pero los cuentos son viajeros impenitentes. Las alas de los cuentos van más allá y más rápido de lo que lógicamente pueda creerse. Son los pueblos, las aldeas, los que reciben a los cuentos. Por la noche, suavemente, y en invierno. Son como el viento que se filtra, gimiendo, por las rendijas de las puertas. Que se cuela, hasta los huesos, con un estremecimiento sutil y hondo. Hay, incluso, ciertos cuentos que casi obligan a abrigarse más, a arrebujarse junto al fuego, con las manos escondidas y los ojos cerrados.

Los pueblos, digo, los reciben de noche. Desde hace miles de años que llegan a través de las montañas, y duermen en las casas, en los rincones del granero, en el fuego. De paso, como peregrinos. Por eso son los viejos, desvelados y nostálgicos, quienes los cuentan.

Los cuentos son renegados, vagabundos, con algo de la inconsciencia y crueldad infantil, con algo de su misterio. Hacen llorar o reír, se olvidan de donde nacieron, se adaptan a los trajes y a las costumbres de allí donde los reciben. Sí, realmente, no hay más de media docena de cuentos. Pero ¡cuántos hijos van dejándose por el camino!

Mi abuela me contaba, cuando yo era pequeña, la historia de la *Niña de Nieve*. Esta niña de nieve, en sus labios, quedaba irremisiblemente emplazada en aquel paisaje de nuestras montañas, en una alta sierra de la vieja Castilla. Los campesinos del cuento eran para mí una pareja de labradores de tez oscura y áspera, de lacónicas palabras y mirada perdida, como yo los había visto en nuestra tierra. Un día el campesino de este cuento vio nevar. Yo veía entonces, con sus ojos, un invierno serrano, con esqueletos negros de árboles cubiertos de humedad, con centelleo de estrellas. Veía largos caminos, montaña arriba, y aquel cielo gris, con sus largas nubes, que tenían un relieve de piedras. El hombre del cuento, que vio nevar, estaba muy triste porque no tenía hijos. Salió a la nieve, y, con ella, hizo una niña. Su mujer le miraba desde la ventana. Mi abuela explicaba: "No le salieron muy bien los pies. Entró en la casa y su mujer le trajo una sartén. Así, los moldearon lo mejor que pudieron." La imagen no puede ser más confusa. Sin embargo, para mí, en aquel tiempo, nada había más natural. Yo veía perfectamente a la mujer, que traía una sartén, negra como el hollín. Sobre ella, la nieve de la niña resaltaba blanca, viva. Y yo seguía viendo, claramente, cómo el hombre moldeaba los pequeños pies. "La niña empezó entonces a hablar", continuaba mi abuela. Aquí se obraba el milagro del cuento. Su magia inundaba el corazón con una lluvia dulce, punzante. Y empezaba a temblar un mundo nuevo e inquieto. Era también tan natural que la niña de nieve empezase a hablar... En labios de mi abuela, dentro del cuento y del paisaje, no podía ser de otro modo. Mi abuela decía, luego, que la niña de nieve creció hasta los siete años. Pero llegó la noche de San Juan. En el cuento, la noche de San Juan tiene un olor, una temperatura y una luz que no existen en la realidad. La noche de San Juan es una noche exclusivamente para los cuentos. En el que ahora me ocupa también hubo hogueras, como es de rigor. Y mi abuela me decía: "Todos los niños saltaban por encima del fuego, pero la niña de nieve tenía miedo. Al fin, tanto se burlaron de ella, que se decidió. Y entonces, ¿sabes qué es lo que le pasó a la niña de nieve?" Sí, yo lo imaginaba bien. La veía volverse blanda, hasta derretirse. Desaparecía para siempre. "¿Y no apagaba el fuego?", preguntaba yo, con un vago deseo. ¡Ah!, pero eso mi abuela no lo sabía. Sólo sabía que los viejos campesinos lloraron mucho la pérdida de su niña.

No hace mucho tiempo me enteré de que el cuento de la *Niña de Nieve*, que mi abuela recogiera de labios de la suya, era en realidad una antigua leyenda ucraniana. Pero ¡qué diferente, en labios de mi abuela, a como la leí! La niña de nieve atravesó montañas y ríos, calzó altas botas de fieltro, zuecos, fue descalza o con abarcas, vistió falda roja o blanca, fue rubia o de cabello negro, se adornó con monedas de oro o botones de cobre, y llegó a mí, siendo niña, con justillo negro y rodetes de trenza arrollados a los lados de la cabeza. La niña de nieve se iría luego, digo yo, como esos pájaros que buscan eternamente, en los cuentos, los fabulosos países donde brilla siempre el sol. Y allí, en vez de fundirse y desaparecer, seguirá viva y helada, con otro vestido, otra lengua, convirtiéndose en agua todos los días sobre ese fuego que, bien sea en un bosque, bien en un hogar cualquiera, está encendiéndose todos los días para ella. El cuento de la niña de nieve, como el cuento del hermano bueno y el hermano malo, como el del avaro y el del tercer hijo tonto, como el de la madrastra y el hada buena, viajará todos los días y a través de todas las tierras. Allí, a la aldea donde no se conocía el tren, llegó el cuento, caminando. El cuento es astuto. Se filtra en el vino, en las lenguas de las viejas, en las historias de los santos. Se vuelve melodía torpe, en la garganta de un caminante que bebe en la taberna y toca la bandurria. Se esconde en las calumnias, en los cruces de los caminos, en los cementerios, en la oscuridad de los pajares. El cuento se va, pero deja sus huellas. Y aun las arrastra por el camino, como van ladrando los perros tras los carros, carretera adelante. El cuento llega y se marcha por la noche, llevándose debajo de las alas la rara zozobra de los niños.

A escondidas, pegándose al frío y a las cunetas, va huyendo. A veces pícaro, o inocente, o cruel. O alegre, o triste. Siempre, robando una nostalgia, con su viejo corazón de vagabundo.

ÍNDICE